De ontmaskering van de zingende hotelrat

De bende van **H** **De Korenwolf**

JACQUES VRIENS

De ontmaskering van de zingende hotelrat

Met illustraties van
Annet Schaap

VAN HOLKEMA & WARENDORF

NEDERLANDSE
KINDERJURY
2005

Vierde druk, 2005
AVI-Niveau: 8

ISBN 90 269 9862 7
NUR 282

© 2004 Uitgeverij Van Holkema & Warendorf,
Unieboek BV, Postbus 97, 3990 DB Houten

www.unieboek.nl
www.jacquesvriens.nl

Tekst: Jacques Vriens
Tekeningen: Annet Schaap
Vormgeving: Petra Gerritsen

Inhoud

Sneeuw

'Kom op, Eefie!' roept Joost tegen zijn zus.

Samen ploeteren ze op hun fiets tegen de heuvel op. Ze komen uit Groesselt, het dorp onder aan de berg, waar ook hun school ligt.

Het fietspad is bedekt met een dik pak sneeuw. Er staat een schrale wind en grote sneeuwvlokken vliegen om hun oren. Het is bijna niet te doen, maar Joost zwoegt fanatiek verder.

'Wacht nou even!' roept Eefie, terwijl ze van haar fiets stapt en verder gaat lopen.

Joost gniffelt, want eindelijk kan hij zijn grote zus een keer voorblijven. Meestal racet Eefie als eerste de heuvel op, naar het hotel van hun ouders. Zij plaagt hem daar dikwijls mee. Vooral als Joost halverwege de heuvel afstapt. 'Kom op dikke,' roept Eefie dan, 'rij eens door!'

Maar vandaag heeft hij een voorsprong, dankzij een warm jack, een wollen muts, dikke wanten en een grote sjaal.

Toen ze vanmorgen naar het dorp fietsten, was er nog geen sneeuw te bekennen. Toch kleedde Joost zich voor alle zekerheid aan alsof hij naar de noordpool moest. Eefie lachte hem uit en riep: 'Oud wijf!'

'In het Jeugdjournaal zeiden ze dat er een sneeuwstorm komt,' antwoordde Joost. 'En laat oma dat "oud wijf" maar niet horen.'

'Díé bedoel ik helemaal niet,' zei Eefie, 'ik bedoel jou.'

Maar nu heeft Eefie spijt dat ze haar korte jasje heeft aangetrokken. Ze bibbert over haar hele lijf en haar haren zijn kletsnat. Met moeite kan ze haar stuur vasthouden, want haar handen zijn bijna bevroren.

Joost fietst stoer voor haar uit, met zijn muts diep over zijn oren en zijn sjaal tot vlak onder zijn neus. Maar als hij omkijkt, krijgt hij medelijden met zijn grote zus.

Hij stapt af en wacht op Eefie. Als ze bij hem is, vraagt hij vals: 'Wil je de sjaal van het ouwe wijf lenen?'

'Grom,' mompelt Eefie.

Joost geeft haar zijn sjaal en zet zelf de grote kraag van zijn jack omhoog. Dan ziet hij dat de handen van zijn zus blauw zijn van de kou. Hij geeft zijn wanten ook aan Eefie.

Samen sjokken ze verder door de sneeuw, met hun fiets aan de hand.

Eefie wil haar broer bedanken, maar daar krijgt ze de kans niet voor. Joost is inmiddels losgebarsten in een radioverslag. Hij doet wel vaker alsof hij bij de radio werkt. 'Luisteraars, een verschrikkelijke sneeuwstorm raast over het Zuid-Limburgse land. Máár... uw eigen verslaggever, Joost Maassen van Radio Korenwolf, laat zich niet wegblazen. Nee, hij is zelfs bezig met een reddingsactie. De bijna elfjarige Eefie Maassen dreigde om te komen van kou en ellende. Haar vingers zijn er bijna afgevroren en uit haar rode neus stromen liters snot. Het had niet veel gescheeld, luisteraars, of dit jonge aantrekkelijke meisje was jammerlijk omgekomen in sneeuw en ijs. Maar dankzij haar achtjarige broer, het oude vrouwtje Joost Maassen, zal zij veilig de thuishaven bereiken: Het bekende familiehotel De Korenwolf.'

Naast de kinderen stopt een rode auto. Het is moeder Els die hun zusje uit school heeft gehaald. Kleine Nina zit samen met haar vriendje Roy op de achterbank.

Eefie kijkt jaloers naar de twee kleuters en zucht: 'Was ik maar klein.'

Moeder Els draait het raampje open en vraagt bezorgd:

'Gaat het?'

'Nee,' kreunt Eefie.

'Ja,' roept Joost kordaat. 'Ik zorg dat we veilig thuiskomen.'

Moeder Els trekt haar eigen jack uit en geeft dat aan Eefie. 'Hier, maar je had vanmorgen beter iets dikkers kunnen aantrekken.'

'Dat zei ik al,' zegt Joost met een gemeen lachje.

'Grom,' doet Eefie weer.

'Morgen breng ik jullie met de auto naar school,' belooft moeder Els. 'En loop nu maar vlug door. Jullie zijn er bijna. Ik zorg voor warme chocolademelk.'

Achter in de auto klinkt gejuich. 'Jaaaa,' roept Nina, 'met stroopwafels van oma!'

'Lekker!' brult kleine Roy.

Moeder Els rijdt verder.

Eefie verdwijnt bijna helemaal in de jas van haar moeder en krijgt het eindelijk een beetje warm.

Even later wandelen Joost en Eefie de parkeerplaats van De Korenwolf op. Rondom het hotel ligt een dik pak sneeuw.

Nina en Roy zijn sneeuwballen aan het gooien naar de tuinkabouter. Normaal staat die in een hoekje van het terras. Maar de twee kleuters hebben de kabouter naar het midden van de parkeerplaats gesleept.

Joost roept dramatisch: 'Zielig, die arme Flip! Zo wordt hij hartstikke ziek.'

Nina houdt meteen op met gooien. 'Ziek?' vraagt ze beteuterd.

'Natuurlijk, en daarna valt hij in honderd stukken uiteen.'

Nina kijkt haar broer angstig aan en stamelt: 'Echt waar, Joost?'

'Ja,' antwoordt Joost met donkere stem. 'En Roy en jij worden opgepakt door de politie. Morgen staat er met grote koppen in de krant: "Twee kleuters vermoorden tuinkabouter!" '

'Nee hè, Eefie?' zegt Nina en ze begint bijna te huilen.

Roy heeft het maar half gehoord en gooit weer een sneeuwbal naar Flip de tuinkabouter.

'Niet doen,' roept Nina wanhopig, 'anders komt de politie ons pakken.'

Eefie geeft haar kleine zus een aai over haar hoofd. 'Joost kletst maar wat. Tuinkabouters kunnen niet ziek worden. Die zijn van steen. Hij zit jullie gewoon een beetje bang te maken.'

'Oooo,' roept Nina boos, 'stomme Joost!' En ze gooit een sneeuwbal naar haar broer.

'Jaaaa,' roept Roy, 'dat is nog leuker.'

Joost rent met zijn fiets naar het schuurtje dat achteraan op de parkeerplaats staat. De ballen vliegen om zijn oren.

Eefie loopt grinnikend achter hem aan en zegt: 'Je moet Nina niet zo plagen. Daar kan ze helemaal niet tegen.'

'Daar wordt ze hard van,' antwoordt Joost. Hij zet zijn fiets weg en loopt het schuurtje uit. Op hetzelfde moment knalt er een bal recht op zijn neus.

'AU!'

Vanaf de parkeerplaats klinkt gejuich. 'Raak!' roept Roy.

'Die was gemeen,' kreunt Joost, terwijl hij over zijn neus wrijft.

Eefie zegt droog: 'Daar word je hard van.'

Joost sjokt naar de achterdeur van het hotel, terwijl hij moppert: 'Die krijgt hij nog een keer terug.'

Eefie komt achter hem aan. 'Je bent zelf begonnen met die onzin over de tuinkabouter.'

Ondertussen hebben Nina en Roy ruzie gekregen. Roy gaat door met het bekogelen van Flip, maar Nina roept boos: 'Ophouden, want Flip is heel zielig!'

'Niet waar,' zegt Roy.

'Maar zielig is wel leuk,' zegt Nina. 'Want dan moeten we Flip redden.'

'Jaaaa, dat is spannend!' juicht Roy. 'Wij worden de redders.' Hij stopt meteen met gooien. En samen bedenken ze een reddingsplan voor Flip de tuinkabouter.

Woef

In het gangetje achter de keuken trekken Joost en Eefie hun jassen uit. Daarna lopen ze door de keuken en het kantoortje naar het café. Daar zitten hun ouders aan de grote leestafel te kletsen met een paar mensen. Twee mannen in een witte overall en een oudere meneer in een keurig pak.

'Ha, daar zijn jullie!' begroet moeder Els hen. Ze loopt meteen naar de bar om warme chocolademelk te maken.

Vader Jan wijst naar de twee witte mannen. 'Dit zijn Jo en Frank, de schilders. Ze zijn vandaag begonnen om kamer zeven tot en met twaalf een nieuw verfje te geven.'

Joost en Eefie knikken, want dat kennen ze langzamerhand wel. In de winter is het meestal vrij rustig in De Korenwolf. Er zijn bijna geen gasten, zodat er hier en daar wat kan worden opgeknapt in het hotel.

De kinderen geven de twee mannen een hand.

Schilder Jo ziet aan de ogen van Eefie dat ze moeite heeft om niet in de lach te schieten. Jo is een opvallend klein mannetje, een soort kabouter, terwijl Frank op een reus lijkt. 'Ik doe altijd de plintjes,' zegt Jo met een knipoog, 'en Frank de plafonds.'

De kinderen schieten in de lach.

'En we hebben deze week ook een gast, zoals jullie zien,' gaat vader Jan verder. 'Meneer Avenzathe, de antiekhandelaar. Hij is net aangekomen. Jullie kennen hem nog van vorig jaar. Meneer moet weer in Maastricht zijn op een grote antiekbeurs.'

De kinderen geven hem een hand.

'Ik kom graag terug in De Korenwolf,' zegt meneer Avenzathe. 'Na een drukke dag in Maastricht is het bij jullie altijd zo lekker rustig.'

Eefie weet meteen wie hij is. Ze vond hem vorig jaar al een eng mannetje, met zijn priemende oogjes en zijn kraakstem.

Ineens vliegt de buitendeur van het café open. Grote sneeuwvlokken dwarrelen het café in.

Nina en Roy stappen naar binnen en zeulen Flip de tuinkabouter met zich mee.

Vader springt overeind. 'Wat krijgen we nou?'

'Wij zijn de redders,' zegt Roy

'Flip moet naar binnen,' zegt Nina, 'anders wordt hij ziek.'

'Doe niet zo mal, Nina. Hup, eruit met die kabouter!'

'Maar pap, ik zet hem op mijn kamer.'

'Niks daarvan, naar buiten!' Vader Jan duwt de kleuters met hun kabouter het café uit en doet de deur achter hen dicht.

Eefie giechelt en stoot Joost aan. 'Jij altijd met je rare verhalen!'

Meneer Avenzathe staat op en loopt naar het raam. Aandachtig bestudeert hij de twee kinderen die buiten rondzeulen met Flip. 'Dat is volgens mij een zéér oude tuinkabouter,' zegt hij.

Vader Jan knikt. 'Die komt nog van míjn grootvader.'

'Interessant,' mompelt Avenzathe, 'die zou een aardig bedragje kunnen opbrengen in de verkoop.' Dan tilt hij zijn koffer op en zegt: 'Zo meneer Maassen, nu wil ik me een beetje opfrissen. Welke kamer krijg ik deze keer?'

Vader Jan loopt naar de bar. Op een groot bord tegen de achterwand hangen de kamersleutels. Hij geeft er eentje aan meneer Avenzathe. 'Kamer drie.'

'Die ken ik,' zegt Avenzathe.

Vader Jan wil de koffer van hem overnemen en mee naar boven lopen.

'Niet nodig,' zegt Avenzathe. 'Ik weet de weg. Woont die aardige oude mevrouw nog hier?'

'Natuurlijk,' antwoordt vader Jan, 'oma kunnen we niet missen, hè kinderen?'

Joost en Eefie knikken instemmend. Oma woont in een flatje op de bovenste verdieping van De Korenwolf. Ze hoeft niet meer mee te helpen in het hotel. De kinderen vinden dat heerlijk. Hun ouders hebben het meestal druk en bijna geen tijd voor hen. Maar bij hun oma kunnen ze altijd terecht.

'Ik ga haar een dezer dagen zeker opzoeken,' zegt Avenzathe en hij vertrekt naar boven.

'Zo,' zegt Eefie, 'die griezel is weg.'

Moeder Els schudt haar hoofd. 'Dat mag je niet zeggen, Eefie. Het ís en blijft een gast.'

'Toch vind ik het een raar mannetje'

Joost knikt instemmend. 'Volgens mij is het een vermomde vampier, die bloed zuigt uit oude dametjes. Daarom vroeg hij natuurlijk naar oma.'

'Joost, hou op!' zegt vader Jan boos. 'Die onzin wil ik niet horen.'

Jo, de kleine schilder, schiet in de lach. 'Die kinderen verzinnen tegenwoordig van alles.'

En Frank, de grote schilder, zegt: 'Het lijkt me best moeilijk voor kinderen om in een hotel te wonen. Altijd vreemde mensen over de vloer.'

Jo staat op. 'Kom, we gaan weer eens aan de slag.'

Samen met Frank vertrekt hij naar boven.

De buitendeur van het café zwaait opnieuw open en een grote witte gedaante stampt naar binnen. Het is Pepijn, die van top tot teen onder de sneeuw zit.

'De verschrikkelijke sneeuwman!' roept Eefie.

'Shit,' roept de verschrikkelijke sneeuwman, 'wat een teringweer!'

Iedereen moet lachen. Zelfs vader Jan, maar hij zegt wel: 'Graag een beetje minder grof, Pepijn.'

Pepijn klopt de sneeuw van zijn jas. 'Ik heb het laatste stuk gelopen,' zucht hij. 'Het was niet meer te doen. Er ligt volgens mij al een halve meter sneeuw.'

'Kom gauw bij de verwarming zitten,' zegt moeder Els bezorgd.

In het kantoortje rinkelt de telefoon en vader Jan loopt erheen.

Pepijn doet zijn jas uit, trekt zijn muts van zijn hoofd en ploft op een stoel naast de verwarming. Hij haalt zijn discman uit de zak van zijn jas en moppert: 'Die begaf het halverwege. Die dingen zijn waterdicht, zeggen ze. Nou mooi niet, dus. Hier Joost, jij bent de techneut van de familie. Kun jij er even naar kijken?'

'Doe ik,' zegt Joost, terwijl hij aandachtig de haren van zijn
broer bestudeert. Iedere morgen staat Pepijn een half uur
voor de spiegel. Hij smeert eerst een halve pot gel in zijn
haar, zodat het rechtop blijft staan. Daarna bewerkt hij zijn
kapsel met spuitbussen met rode en groene verf. Maar er is
nu weinig van zijn creatie over. Zijn haren hangen slap
langs zijn gezicht en de verf is door elkaar gelopen.
'Heb je vandaag een vaatdoek op je kop?' vraagt Joost.
'Zo kan ie wel weer, broertje,' bromt Pepijn.
Eefie is het met hem eens. 'Joost is al de hele tijd aan het
pesten,' zegt ze.
'Nou!' roept Joost verontwaardigd. 'Ik heb je zelfs gered van
de bevriezingsdood.'

Pepijn kijkt zijn kleine broer aan met een twinkeling in zijn ogen en zegt: 'Misschien moeten we dit kleine ettertje vijf minuutjes mee naar buiten nemen en fijn inpeperen.'

'Yes!' roept Eefie.

'Verbouwen we onze Joostje tot sneeuwpop,' zegt Pepijn.

'En ik verbouw jouw discman,' antwoordt Joost, 'tot slagroomklopper.'

'Vreselijk,' kreunt Pepijn, 'als je afhankelijk bent van je broer voor de kleine reparaties.'

Vader Jan komt uit het kantoortje. 'We krijgen er twee gasten bij. De directeur van de schouwburg in Maastricht belde. Morgen treedt daar een groot operakoor op. Hij had een hotel voor ze geregeld in de stad. Er blijken meer mensen in dat koor te zitten dan hij had verwacht. Alles zit vol in Maastricht. Daarom komen er twee dames van dat koor hier logeren.'

'Wordt het toch druk,' zegt Eefie met spijt in haar stem. Ze vindt het juist fijn als het rustig is in de winter.

'Dames?' vraagt Pepijn. 'Jonge dames?'

Vader Jan haalt zijn schouders op. 'Dat weet ik niet.'

'Ze zijn vast heel lelijk,' plaagt Eefie.

De buitendeur gaat open. Nina en Roy komen binnen, terwijl ze roepen: 'Nu is het écht heel zielig!'

'Wat heb ik nou gezegd?' dondert vader Jan. 'Buiten blijven met die kabouter!'

'Het is geen kabouter,' roept Nina. 'Het is een beest!'

Stomverbaasd kijkt iedereen naar een sneeuwhoop op pootjes die achter de kleuters aan komt. Midden in het café schudt de hoop zich uit en komt er een hond tevoorschijn.

'Aaaah,' roept Eefie, 'wat een lieverdje.'

Het is een niet al te grote hond met witte en bruine vlekken. Hij heeft lange haren, grote flaporen, een grappige neus en lieve ogen. Om zijn nek zit een halsband.

'Dat is een cocker spaniël,' zegt Pepijn. 'Toen oma klein was, heeft ze zo'n hond met van die grote hangoren gehad. In haar flatje staat een foto van dat beest.'

'Die heette Donna,' zegt Eefie, 'dat heeft ze ooit verteld.'

De hond gaat op zijn achterpoten zitten en kijkt heel rustig het café rond.

'Wat een grappig beest,' zegt Joost.

'Nina,' vraagt vader Jan, 'waar heb je die hond vandaan gehaald?'

'Die heb ik niet gehaald. Hij was er gewoon.'

'Daar geloof ik niks van.'

'Wel waar, papa! Roy en ik waren bij het fietsenschuurtje en toen zat hij daar ineens.'

'Zomaar uit de lucht komen vallen,' grinnikt Pepijn.

'Dat kan niet!' zegt vader Jan boos.

Roy knikt heftig en roept: 'Echt waar, vader van Nina! Hij zat bij het schuurtje en jankte heel zielig. Hij is zijn mama kwijt.'

'Onzin,' zegt vader Jan. 'Dat beest hoort bij iemand. Vooruit, zet hem onmiddellijk buiten. Zijn baasje is hem vast aan het zoeken.'

'Wat een gemene papa ben jij!' roept Nina.

'Ja,' roept Roy, 'dierenbeul!'

De andere kinderen schieten in de lach, maar vader Jan wordt boos. 'We kunnen hier geen dieren hebben, dat weet je best. En vandaag helemaal niet. Een van die zangeressen van dat operakoor is allergisch voor honden. De directeur van de schouwburg vroeg nog nadrukkelijk of we geen huisdieren hadden. Eruit met die hond!'

Nina begint te huilen en stampt met haar voet op de grond. 'Stomme papa!'

Moeder Els loopt naar Nina toe en gaat op haar hurken bij haar zitten. 'Lieverdje, het kan echt niet. En pap heeft gelijk. En er is buiten vast iemand die heel verdrietig is en zijn hond loopt te zoeken. Ik zou maar eens gauw gaan kijken samen met Roy.'

'En als er niemand is?' vraagt Nina met tranen in haar ogen.

'Ga eerst kijken.'

Treurig lopen Roy en Nina naar buiten. De hond dribbelt braaf met hen mee.

Vader Jan doet de deur achter hen dicht en zucht: 'Eerst een tuinkabouter en daarna een hond. Het moet niet gekker worden.'

'Volgens mij vinden ze de baas van die flapoor niet zo vlug,' zegt Pepijn. 'Dat beestje is natuurlijk verdwaald door de sneeuw.'

'Dat denk ik ook,' roept Eefie enthousiast. 'Zullen we Nina en Roy maar terugroepen mét hond?'

'Ja,' zegt Joost, 'en dan mag de hond hier blijven logeren tot we zijn baasje gevonden hebben.'

Vader Jan schudt resoluut zijn hoofd. 'Geen sprake van. En als de eigenaar niet komt opdagen, brengen we hem naar het asiel.'

'Het is maar voor een paar dagen,' zegt Eefie. 'We zeggen tegen de politie dat hij hier is.'

'En we houden hem uit de buurt van die akoestische zangeres,' zegt Joost.

Eefie grinnikt. 'Je bedoelt allergisch.'

'Nee!' antwoordt vader Jan streng en hij vertrekt naar het kantoortje.

De kinderen kijken elkaar aan en Eefie zucht: 'We wisten het!'

Ze hebben al vaker gevraagd of ze een huisdier mochten hebben. Het antwoord was altijd hetzelfde: het kan niet in een hotel.

'Pap doet spastisch,' zegt Pepijn. 'We kunnen die cocker spaniël best een paar dagen in huis nemen zonder dat iemand er last van heeft.'

Eefie haalt haar schouders op. 'Je zult zien dat Avenzathe gaat zeuren als hij hoort dat er een hond in huis is.'

'Is die rare antiekboer er weer?' vraagt Pepijn. 'En straks die twee lelijke zangeressen. Daarom moet die blaffende flapper helemáál blijven. Al is het maar om de boel een beetje op te vrolijken.'

'Hou er maar over op,' zegt moeder Els. 'Ik vind het ook niet leuk, want ik zou best een huisdier willen.'

Pepijn staat op, knipoogt naar Joost en Eefie en zegt: 'Ik ga even douchen.'

'Dan loop ik met je mee naar boven,' zegt Eefie, 'om oma gedag te zeggen.'

'Ik ook,' zegt Joost.

Met zijn drieën vertrekken ze naar de hal die achter het café ligt.

'Gaan jullie maar vast,' zegt Pepijn. 'Ik moet nog wat regelen. Ik zie jullie zo bij oma.' En hij glipt door het zijgangetje naar buiten.

Eefie stoot Joost aan en zegt: 'Woef!'

'Woef woef!' antwoordt Joost.

De soepheilige

Even later lopen Eefie en Joost op de eerste verdieping langs kamer zeven. De deur staat open en binnen zijn de schilders bezig. Frank en Jo zingen samen het hoogste lied: 'Waarom heb je mij verlááááááten, we hadden toch kunnen práááááten.'
Het klinkt niet eens zo gek en Frank zingt zelfs de tweede stem.
'Die kunnen ook meedoen met de opera in Maastricht,' zegt Eefie.
De kinderen lopen de trap op naar de tweede verdieping. Hier mogen de hotelgasten niet komen. Bij deze trap hangt een bordje met:

Joost en Eefie en de rest van de familie hebben op deze verdieping hun eigen kamer. En oma heeft er haar eigen flatje.
'Kom binnen, lieverdjes,' roept oma als ze bij haar aankloppen. Ze heeft allang gehoord dat haar kleinkinderen in aantocht zijn. 'De thee is klaar.'
Bij oma is het altijd knus en gezellig. Overal branden schemerlampjes en er staan beeldjes en vaasjes met bloemen. En de muren hangen propvol foto's en schilderijtjes.
Als de kinderen de kamer binnenstappen, flapt Joost eruit: 'Shit!'
'Wat zei je, Joost?' vraagt oma streng.
'Sorry oma.'
'Kom er maar gezellig bij zitten, want ik heb bezoek.'
Eefie snapt waarom Joost 'shit' zei, want op de bank zit meneer Avenzathe.
'Dag kinderen,' kraakt Avenzathe. 'Ik dacht, ik ga meteen de oude mevrouw gedag zeggen.'
'En zéúren bij de oude mevrouw,' zegt oma.
'Nou nou.' De antiekhandelaar lacht. 'Dat valt best mee.'
'Nee nee, meneer Avenzathe, vorig jaar was u ook al hier voor de heilige Martha van Betanië.'
'Voor wie?' vragen Joost en Eefie tegelijkertijd.
Oma loopt steunend op haar stok naar de hoek van de kamer. Op een kastje staat een beeld van een vrouw. Ze heeft een lange rode jurk aan en een witte hoofddoek om. In haar hand houdt ze een grote soeplepel en aan haar riem hangt een bos sleutels. Voor het beeld brandt een kaarsje.
'Dit is de heilige Martha,' zegt oma.
'Nooit geweten,' zegt Eefie verbaasd. Het beeld met de soeplepel en de sleutels staat er al zo lang als ze zich kan herinneren. Maar oma heeft er nooit iets over verteld.
'Wat doet die soepheilige eigenlijk?' vraagt Joost.
'Dat mag je niet zeggen,' moppert Eefie. 'Zo spot je met het geloof van oma.'

Oma grinnikt. 'Dat geeft niks, hoor Joost, want eigenlijk heb je gelijk. De heilige Martha is de beschermster van alle mensen die in een hotel werken. Dus ook van de koks.'

'Gaaf,' roept Eefie, 'onze Kees de kok heeft een eigen heilige.'

'En niet alleen Kees,' zegt oma, 'maar ook jullie ouders en meneer Goemie.'

Joost moet lachen. Meneer Goemie is de knorrige ober die komt helpen als het druk is. 'Volgens mij heeft Goemie een andere heilige,' zegt Joost. 'De heilige ouwe Mopperkont.'

Oma schudt haar hoofd en zegt tegen meneer Avenzathe: 'Die kinderen van tegenwoordig snappen niets meer van ons geloof. Maar verder zijn het schatten, hoor.'

Avenzathe staat op. 'Mevrouw, ik laat u alleen met uw kleinkinderen. En over dat beeld praten we nog wel eens.'

'Praten mag altijd,' antwoordt oma, 'maar u krijgt het nooit.'

De antiekhandelaar laat een vreemd mekkerend lachje horen. 'Zeg nooit "nooit", mevrouw. Ik kom van de week nog eens langs.'

Oma loopt voor hem uit naar de deur en maakt die open. 'Dat is goed, maar laat u eerst vragen of het gelegen komt?'

'Beloof ik, mevrouw.'

Oma sluit de deur achter hem en luistert naar het geluid van de voetstappen die verdwijnen. Dan zucht ze: 'Zo, die is weg. Fijn dat jullie kwamen, want ik vind het maar een rare man.'

'Wij ook,' zegt Joost.

'Wat moet hij met die heilige Martha?' vraagt Eefie.

Oma gaat in haar luie stoel zitten. De kinderen ploffen tegenover haar op de bank. 'Eerst thee met een stroopwafel,' zegt oma. Ze schenkt in en schuift de koektrommel naar Eefie en Joost. 'Die man stond ineens voor mijn deur. Hij heeft zeker iets aan zijn ogen. Dat bordje hangt niet voor niets naast de trap.'

'Kent u hem dan?' vraagt Eefie.

'Ja, van vorig jaar. Toen is hij al een keer hier in mijn flatje geweest. Hij had toevallig gehoord dat ik wat oude heiligenbeelden heb. Die wilde hij zien. Hij vloog toen meteen op Martha van Betanië af. Volgens hem is dat beeld al heel erg oud. Hij bood er toen vijfhonderd euro voor. En deze keer wilde hij zelfs duizend euro geven.'

'Jeetje,' zegt Joost, 'daar kunt u een dvd-speler voor kopen met surround sound. Krijg ik dan uw oude video, oma?'

'Past dat allemaal in je kamer?' vraagt oma lachend. Bij Joost is het meestal een grote puinhoop van oude radio's, afgedankte computers, discolampen, snoeren en andere technische troep.

'Ja hoor,' roept Joost.

'Nou, ik hoef geen gvd-speler met dinges, want ik verkoop mijn Martha niet. Die heb ik van jullie opa gekregen toen we hier samen dit hotel zijn begonnen. Dat is al heel wat jaren geleden, kinderen. De Korenwolf was toen een aftands oud hotelletje, maar opa en ik hebben er een goedlopende zaak van gemaakt. Daar ben ik nog altijd trots op. En nu zijn jullie ouders hier de baas en blijft het goed gaan. Ik weet zeker dat de heilige Martha ons vanaf het begin geholpen heeft. Als ik Martha verkoop, zal het slecht gaan met De Korenwolf.'

'Gelooft u dat echt, oma?' vraagt Eefie.
Oma knikt. 'Jullie vinden mij natuurlijk maar een raar oud vrouwtje.'
'Helemaal niet,' protesteert Joost. 'U bent de liefste oma van de hele wereld.'
'Goed zo,' zegt oma tevreden. 'Neem nog maar een stroopwafel. En jullie moeten me één ding beloven: als ik er niet meer ben, moeten jullie ervoor zorgen dat Martha van Betanië in De Korenwolf blijft.'
'Dat beloven we,' zegt Eefie.

Joost springt op en roept plechtig: 'Wij, leden van de bende van De Korenwolf, zweren dat Martha van Beddentanië nooit dit hotel zal verlaten.'

'Stroopwafel!' roepen oma en Eefie in koor. Het is de geheime kreet van de bende. Vader Jan zegt vaak dat zijn kinderen er een rommeltje, een bende, van maken in zijn hotel. Daarom hebben de kinderen de bende van De Korenwolf opgericht, met oma als erelid.

'Ik maak verse thee,' zegt oma en ze wil opstaan om naar haar keukentje te lopen. Op dat moment klinkt er lawaai op de gang.

'Daar zul je de rest van de bende hebben,' zegt oma. 'Joost, doe even open.'

Vanaf de gang roept Pepijn: 'Wij zijn het, oma. Niet schrikken.'

Als Joost de deur openmaakt, rent er een vrolijk kwispelende hond de kamer binnen. Pepijn, Nina en Roy komen erachteraan. De hond begint meteen de hele kamer door te snuffelen. Met zijn neus schuift hij over de grond, terwijl zijn grote flaporen half over de vloer slepen. Het is net alsof hij twee stofdoekjes met zich meetrekt.

Het gezicht van oma begint te stralen. 'Donna!' roept ze blij. De hond draaft meteen naar oma toe, zet zijn voorpoten op haar schoot en geeft een lik over haar neus.

'Hier hond!' roept Pepijn. 'Ben je nou helemaal bedonderd, je laat oma schrikken.'

Maar oma aait de hond over zijn kop. Er staan tranen in haar ogen als ze zegt: 'Ach, natuurlijk ben je Donna niet, maar ik dacht even dat je het was. Mijn Donnaatje is meer dan zestig jaar dood. Maar je lijkt er wel op. Kijk maar.'

Oma wijst naar een foto die op het kastje staat, naast de heilige Martha. Er is een klein meisje op te zien, samen met een cocker spaniël. Hij is ook gevlekt en heeft net zulke lange haren en van die grote flaporen.

De hond geeft weer een lik over oma's neus. 'Af!' zegt oma streng en ze pakt hem bij zijn halsband vast. De hond gaat braaf naast haar stoel liggen.

'Naar u luistert hij gelukkig,' zegt Pepijn opgelucht, 'want het heeft ons heel wat moeite gekost om dat beest naar boven te smokkelen.'

'Hij wilde de brandtrap niet op,' zegt kleine Nina. Aan de zijkant van het hotel zit een ijzeren trap, waarmee je van buitenaf op alle verdiepingen kunt komen.

'We hebben hem moeten dragen,' zegt Roy.

'Ík heb hem gedragen,' kreunt Pepijn. 'Je denkt: ach, zo'n hondje, dat lukt wel. Maar dat mormel is hartstikke zwaar. Ik ben kapot.' Hij valt uitgeput neer op de bank. De hond springt meteen boven op Pepijn en begint hem enthousiast over zijn gezicht te likken.

'Áf!' commandeert oma. De hond luistert onmiddellijk.

Pepijn veegt wat kwijl uit zijn gezicht en mompelt: 'Gatver!'

'Allemaal dankbaarheid,' zegt Joost. 'Die hond houdt van je, Pepijn.'

'Wat moeten jullie met die hond?' vraagt oma.

Nina en Roy vertellen het hele verhaal. Van de zielige hond in de sneeuw en van de boze vader Jan. 'En er komt ook nog een zangeres die lergisch is,' zegt Roy. 'Daarom mag het niet van de papa van Nina.'

'Maar Pijntje heeft ons lekker geholpen,' gaat Nina verder. 'Hij vindt het gemeen om die hond buiten te zetten.'

Pepijn knikt instemmend en zegt: 'Daarom zijn we over de brandtrap gekomen. Hierboven ging het bijna mis. Die antiekboer kwam ineens uit uw kamer, oma. We konden net op tijd de badkamer in glippen. Dat kwam goed uit. Die hond was nog hartstikke nat. Net als ik. We hebben onszelf eerst maar eens flink afgedroogd.'

'En nu?' vraagt oma.

'Nu hebben we een hond,' zegt Nina. 'Fijn hè, oma?'

'Ja, maar lieverdje, dat gaat zomaar niet. Die hond is van iemand.'

'Nee oma…' stamelt Nina en de tranen springen haar in de ogen.

'Natuurlijk is hij van iemand,' zegt Eefie, 'maar zolang we niet weten van wie, kunnen we hem niet zomaar op straat zetten.'

'Dat is waar,' antwoordt oma en ze kijkt naar buiten. 'En zeker niet bij dit weer. Maar laten we eerst eens uitzoeken hoe hij écht heet.' Oma maakt de halsband los en kijkt op de binnenkant.

'Volgens mij heet hij Flapper,' zegt Pepijn

'Nee hoor,' zegt oma, 'hij heet… ik bedoel… zíj heet Mona.

Wat lief, dat klinkt bijna net als Donna en ze lijkt er sprekend op.'

'Wauw!' roept Joost. 'Een wonder: Donna is teruggekeerd op aarde onder een andere naam!'

'Geef mijn bril eens aan,' gaat oma onverstoorbaar verder. 'Er staat een telefoonnummer bij.'

'Nee, niet doen,' piept Nina met een benauwd stemmetje.

Eefie geeft de bril en oma probeert de cijfers te lezen. 'Dat lukt niet,' zegt ze. 'Die zijn niet meer goed te zien.'

'Gelukkig,' juicht Nina.

'We moeten iets anders verzinnen,' vraagt Pepijn, 'want als pap die hond hier vindt, ontploft hij.'

'Mona moet onderduiken,' zegt Eefie, 'net als in de Tweede Wereldoorlog.'

Oma schudt bedenkelijk haar hoofd. 'Kinderen, dat kan zomaar niet.'

'Oma,' vraagt Eefie streng, 'bent u lid van de bende van De Korenwolf of niet?'

'Ja maar…'

Plotseling wordt er op de deur geklopt en een stem roept: 'Oma, ben je thuis?'

Nina fluistert angstig: 'Daar is papa!'

Een onderduikhond

'Oma, ben je daar?' roept vader Jan.
De kinderen kijken elkaar aan. Niemand durft te bewegen.
Iedereen lijkt bevroren.
Het enige wat heen en weer gaat, is de kwispelende staart
van Mona.
Oma zegt: 'Vooruit, het keukentje in met die hond!'
Eefie pakt Mona bij haar halsband. De hond laat zich gewil-
lig naar de keuken brengen. De anderen halen opgelucht
adem. Pepijn maakt de deur naar de gang open. Verbaasd
kijkt vader Jan de kamer rond. 'Jullie zijn tóch allemaal
hier. Ik vermoedde al zoiets, maar het was zo rustig.'
Vaag horen ze vanuit het keukentje gegrom.
'Nou…' stamelt Pepijn en hij voelt dat hij rood wordt. En
oma hoest nadrukkelijk om het gegrom te overstemmen.
Gelukkig wordt het stil in het keukentje.
'Oma vertelde van vroeger,' antwoordt Joost met een stalen
gezicht. 'We zaten allemaal heel stil te luisteren, want het
was erg interessant.'
Dankbaar kijkt Pepijn zijn broertje aan. Joost is altijd erg
goed in smoesjes verzinnen. Meestal vindt Pepijn dat verve-
lend, maar deze keer niet.
'Oma, ik had al gebeld via de huistelefoon,' zegt vader Jan,
'maar er nam niemand op.'
'Klopt,' antwoordt oma. 'Ik had dat ding uitgezet voor mijn
middagdutje en was vergeten het weer aan te doen.'
'De twee dames van het operakoor zijn er,' gaat vader Jan

verder. 'Ze hebben veel bagage bij zich. Ik wilde vragen of Pepijn kan helpen sjouwen.'

'Natuurlijk,' roept Pepijn, 'ik ga meteen mee.' En hij denkt: Hoe eerder pap hier weg is, hoe beter.

Samen met zijn vader verdwijnt hij naar beneden.

'Die is weg,' zegt Joost tevreden, 'en nou maar hopen voor Pepijn dat het mooie dames zijn.'

Vanuit de keuken klinkt geblaf.

'Oei,' roept kleine Roy.

Eefie komt de keuken uit met Mona. 'Sorry oma,' zegt ze, 'Mona begon ineens te grommen en toen heb ik haar alle ham moeten voeren. Er lag een pakje in uw ijskast. Maar het heeft geholpen, want Mona was meteen stil.'

'Dat was dus een ons ham,' zucht oma, 'Kinderen, kinderen, waar zijn we aan begonnen.'

'Stroopwafel!' roept Eefie.

'Stroopwafel!' antwoorden Joost, Nina en Roy in koor.

'Allemaal mooi en prachtig,' zegt oma, 'maar ik zit met een verboden hond opgescheept. Dat beest moet eten en uitgelaten worden. Dat kan echt niet. Ik krijg daardoor ruzie met jullie vader.'

Het lijkt wel alsof Mona snapt dat oma het er moeilijk mee heeft. Ze legt haar kop op oma's arm en kijkt haar vol vertrouwen aan. Oma smelt onmiddellijk. 'Maar ik kan je niet zomaar op straat zetten, want je bent een schatje.'

'We moeten een plan maken,' stelt Eefie voor.

Nina klapt blij in haar handen, want ze is dol op plannetjes.

'Goed,' zegt oma, 'ik zal niet langer zeuren, we maken een plan.'

'Joost en ik laten Mona drie keer per dag uit,' zegt Eefie, 'via de brandtrap. En de rest van de dag blijft ze hier.'

Oma staat op en loopt naar het kastje met het beeld van Martha. Ze haalt uit een laatje een riem. 'Dit is de oude riem van mijn Donna,' zegt oma. 'Ik heb al heel vaak op het punt gestaan die weg te gooien. Wat moet je met zo'n oud ding, dacht ik. Maar het komt nu goed van pas.'

Mona begint meteen door de kamer te dansen als ze de riem ziet.

Eefie lacht. 'Ze denkt dat ze uit mag.'

'Zit, Mona!' commandeert oma en de hond gaat weer keurig naast haar zitten.

'Oma is een hondentemmer,' zegt Nina.

'Dan is er nog een probleem,' gaat oma verder. 'Er moet

voor eten gezorgd worden. Hondenbrokken en zo. Nou ja, voor vandaag heeft ze in elk geval genoeg gehad. Potverdorie, al mijn ham in één keer weg.'

'Morgen nemen we hondenbrokken voor haar mee,' zegt Joost, 'als we uit school komen. De smokkel van de hondenbrokken.'

'Spannend!' roepen Roy en Nina tegelijk.

'Alles onder één voorwaarde,' zegt oma. 'Ik bel wél naar het asiel om te zeggen dat Mona hier is. Als de eigenaar zich meldt, moet die weten waar Mona is. En als het te lang gaat duren, brengen we Mona zelf naar het asiel.'

'Nee,' zeurt Nina.

'Ja,' antwoordt oma streng.

Bij Nina staan opnieuw tranen in haar ogen. Oma trekt haar naar zich toe. 'Luister, liefje. Er is nu vast een kindje dat verdrietig is, omdat Mona er níét is. Wij mogen vandaag genieten van Mona, maar eigenlijk zijn we allemaal heel stout.'

'Stoute oma's zijn leuk,' roept Roy.

Oma giechelt. 'Ik vind het ook heel erg leuk. Ik mag nog één keertje dat kleine meisje zijn met haar hond.' Ze wijst naar de foto die naast de heilige Martha staat.

'Hebben dieren eigenlijk een eigen heilige?' vraagt Joost.

'Nou en of, de heilige Franciscus. Die staat daar in de boekenkast.'

Joost loopt erheen. Het is een beeldje van een man in een lange bruine jurk met een vogeltje op zijn hand. 'Toch handig,' zegt Joost, 'al die heiligen van oma.'

'Is die Franciscus ook duizend euro waard?' vraagt Eefie.

'Ik denk het niet,' antwoordt oma. 'Ik heb meneer Avenzathe er tenminste niet over gehoord.'

Inmiddels is Mona in slaap gevallen aan de voeten van oma. 'Gaan jullie maar,' zegt ze. 'Ik moet even bijkomen van alle avonturen. Net als Mona.'

'Zullen we buiten een grote sneeuwpop maken?' stelt Eefie voor.

'Goed idee,' zegt Joost.

En Nina en Roy juichen: 'Jaaaa!'

Uitgelaten vertrekken de kinderen naar beneden. Oma blijft tevreden achter. Ze kijkt een hele tijd naar de hond die rustig ligt te slapen en fluistert: 'Donna…'

Op de gang van de eerste verdieping komen de kinderen Pepijn tegen. Hij loopt met twee zware koffers te zeulen.

'En,' vraagt Eefie, 'hoe zijn de dames?'

'Niks voor mij bij,' gromt Pepijn. 'Wat een tuttenbellen. En nog kapsones ook. Ze vroegen aan pap of "die vieze jongen" hier werkt.'

'Welke vieze jongen?' vraagt Nina.

'Wie denk je?' zegt Joost met een grijns.

Pepijn steekt zijn tong naar hem uit.

Op de benedentrap klinkt een hoge lach. 'Sssst,' zegt Pepijn, 'daar heb je ze.'

Twee grote vrouwen komen de gang in lopen. Vader Jan sjokt achter hen aan met nog twee koffers.

Voorop loopt een dame met een grote zwarte knot op haar hoofd en een wijde mantel om. 'Weet u zeker dat hier geen honden zijn, meneer Maassen?' vraagt ze.

'Absoluut zeker,' antwoordt vader Jan.

'Maar wél kinderen!' roept de vrouw alsof ze een of ander eng beest ziet. 'Moet je dat zien, Kristel, een hele gang vol.'

De andere dame, die een grote bos krullen heeft, antwoordt met een hoge stem: 'Het lijkt hier wel een kinderhotel, Anjes!'

'Inderdaad,' roept de dame met de knot. 'Ik was veel liever in de stad gebleven. Slordig dat ze daar te weinig kamers voor ons koor hebben gereserveerd.'

Vader Jan zet de koffers neer en opent gauw de deur van

kamer twee. 'Deze kant uit, dames.'

'Van wie zijn die kinderen eigenlijk?' vraagt dame met de krullen.

'Van mij,' antwoordt vader Jan, 'en er is een vriendje bij.'

De vrouw met de knot moppert: 'De directeur van de schouwburg had ons wel eens mogen waarschuwen. Het zal hier niet bepaald rustig zijn.'

De kinderen staren de vrouwen aan. Ineens doet Pepijn een stap naar voren en zet de koffers met een plof op de grond. Hij vindt het langzamerhand welletjes. 'Wij maken altijd ontzettend veel lawaai,' zegt hij met een overdreven stem. 'We doen de hele dag disco en spelen tikkertje in ons hotel.'

'En we schreeuwen en we krijsen en we keten,' zegt Eefie.

'Vooral 's nachts,' doet Joost er een schepje bovenop.

Nu zijn de vrouwen verbaasd.

'Grapje,' zegt vader Jan gauw, 'ze maken een grapje. U weet hoe kinderen zijn.'

'Wat een brutaliteit,' stamelt de vrouw met de knot.

'Vooruit, naar beneden jullie!' zegt vader Jan streng. 'En zónder lawaai!'

Gniffelend lopen de kinderen de trap af.

Ze horen nog net hoe hun vader zich uitslooft om hun gedrag goed te praten.

Bij moeder Els doen ze hun beklag.

'We hoeven niet alles te pikken van de gasten,' protesteert Pepijn.

'Die knot en die krul deden heel lomp,' zegt Eefie.

'Niet alleen akoestisch voor honden,' zegt Joost, 'maar ook voor kinderen.'

'Allergisch,' verbetert Eefie hem.

'Ja, zoiets,' zegt Joost.

Moeder Els is het met de kinderen eens. 'Ze waren hier beneden al vervelend,' zegt ze. 'Ze blijven gelukkig maar twee nachten. Dus hou je een beetje in, alsjeblieft. Als je een hotel hebt, heb je de gasten niet voor het uitzoeken.'

'Papa was boos,' zegt Nina. 'Hij had een rooie kop.'

'Kom,' zegt Roy ongeduldig, 'we gaan in de sneeuw spelen!'

'Sneeuwpop!' juicht Nina.

Moeder Els kijkt bedenkelijk naar buiten. Daar is het inmiddels nog harder gaan sneeuwen en een koude wind giert om het hotel. 'Gaan jullie maar in de toneelzaal,' zegt ze. 'Het is buiten veel te guur.'

'Ik taai af naar boven,' zegt Pepijn. 'Huiswerk maken.'

Eefie, Joost, Nina en Roy vertrekken naar de zaal. Daar halen ze wat oude jurken uit de verkleedkist die achter het toneel staat. 'Ik ben "de knot",' zegt Eefie.

Nina speelt "de krul".

Joost doet ondertussen de toneellampen aan. Daarna gaat hij samen met Roy ontzettend veel lawaai maken. Eefie Knot en Nina Krul komen boos het toneel op stormen.

'Het lijkt hier wel een kinderhotel!' roept Nina.

'Bah, een hele gang vol kinderen!' krijst Eefie met hoge stem.

Daarna doen ze net alsof de dames slapen en de kinderen stiekem Mona in hun kamer loslaten. 'Vreselijk,' gilt Eefie, 'doe dat beest weg. Ik moet ervan kotsen!'

Roy en Joost mogen daarna de twee zangeressen spelen. Ze gaan onder de douche. Ineens komt er bloed uit de kraan en kruipen er levensgrote spinnen uit de wc.

De kinderen worden in hun spel gestoord door moeder Els.

'Moet Roy al naar huis?' vraagt Nina teleurgesteld.

'Eigenlijk wel,' zegt moeder Els, 'maar er is iets vervelends aan de hand. Ons hele hotel is ingesneeuwd. We kunnen niet meer weg.'

Ingesneeuwd

'Ingesneeuwd?' vraagt Nina met een bang stemmetje. 'Wat is dat, mam?'

'De vader van Roy belde net,' legt moeder Els uit. 'Er kan geen auto meer bij De Korenwolf komen. Er is een flinke sneeuwstorm aan de gang. En het is zo hard gaan vriezen dat de weg spekglad is. Voorlopig kunnen we niet naar het dorp en niemand kan ons bereiken.'

De kinderen lopen achter haar aan naar het café. Stomverbaasd staren ze naar buiten. Voor de ramen ligt een hoge berg sneeuw. Die is er door de stevige wind tegenaan gewaaid. Buiten sneeuwt het zo hard, dat het is alsof er een witte muur om het hotel heen staat. Op de parkeerplaats onderscheiden ze heel vaag een paar auto's. Het busje van de schilders, de auto van de twee zangeressen, die van hun ouders en de grote slee van Avenzathe.

'Nog even,' zegt Joost, 'en die zijn onder de sneeuw verdwenen.'

Eefie giechelt. 'Moeten Knot en Krul morgen hun auto uitgraven.'

Moeder Els wijst naar de ingang van het café. 'De deur kan niet eens meer open. Daar ligt ook al een hele berg voor.'

Vader Jan komt vanuit de hal het café in. 'De schilders blijven hier vannacht noodgedwongen logeren,' vertelt hij, 'maar dat vinden ze niet erg.'

Langzaam dringt het tot de kinderen door dat het wel heel spannend wordt. Joost pakt een zoutvaatje van tafel en houdt het voor zijn mond. 'Luisteraars, hier is hij weer, uw eigen Joost Maassen van Radio Korenwolf. Een ramp heeft het hotel getroffen! Dit wordt "De Overwintering in De Korenwolf". Wekenlang zullen wij hier moeten blijven. Het wordt kouder en killer en niemand kan naar buiten. Want wie dat doet, verandert op slag in een grote ijspegel. Inmiddels is ook al het voedsel opgeraakt. De ijskast is leeg.

Zelfs die van oma. Daarom moeten wij op een dag helaas besluiten onze gasten op te eten: we beginnen met de oude taaie antiekboer Avenzathe.'

Ineens begint Nina heel hard te huilen: 'Ik lust geen taaie antieke boer.'

'Gatver,' piept Roy.

Moeder Els trekt de twee kleuters bij zich op schoot en probeert ze te kalmeren. 'Joost vertelt onzin.'

'Morgen kunnen we weer naar buiten,' stelt vader Jan hen gerust. 'Ik hoorde op de radio dat het gaat dooien.'

En Eefie slaat haar arm om de schouder van haar kleine zus. 'Dit is toch hartstikke gaaf.'

'Ik wil naar mijn mama,' zegt Roy.

'Maar je logeert wel vaker hier,' troost Eefie hem. 'Dit is eigenlijk hetzelfde.'

Met grote ogen kijkt Roy haar aan en dan begint hij te stralen. 'Dan is het wel leuk,' zegt hij.

'En we kunnen niet naar school,' roept Joost enthousiast. 'Dat is helemaal gaaf!'

'Yes!' juicht Eefie.

Maar ineens kijkt Joost heel bezorgd. 'Hebben we écht genoeg eten in huis?'

'Ach,' zegt Eefie met een zielig stemmetje, 'ons veelvraatje is bang dat hij verhongert. Neem je toch een lekker hapje antiekboer?'

Pepijn komt het café in gelopen. 'We kunnen de naam van ons hotel veranderen in De Sneeuwwolf.'

Maar als hij hoort dat er niemand meer weg kan, vindt hij het minder leuk. 'Zitten we hier opgesloten met die rare Avenzathe. En niet te vergeten die allergische valse operazangeressen.'

'En Mona,' flapt Roy eruit.

'Wie is Mona?' vraagt vader Jan.

'Dinges,' piept Eefie, 'dat is dinges.'

'Dinges?'

'De nieuwe barbie van Nina,' roept Joost gauw.

Vader Jan kijkt de kinderen onderzoekend aan en zegt: 'Ik wil het nog even hebben over jullie brutale gedrag van daarnet. Tegenover die twee dames van het operakoor.'

'En ik wil het nog even hebben,' zegt Pepijn, 'over het brutale gedrag van die twee dames tegenover de vier kinderen van De Korenwolf.'

Vader Jan zucht. 'Ik geef toe dat ze niet aardig deden. Maar dat heb je soms met gasten.'

'We hoeven niet alles te pikken,' zegt Pepijn.

'Het is goed met je,' bromt vader Jan. 'Blijf voorlopig maar uit de buurt van die vrouwen. Overmorgen zijn ze weg, eeeh... hoop ik.'

Op hetzelfde moment komen de twee zangeressen met veel lawaai het café binnen. 'Wat is er aan de hand?' roept de vrouw met de knot.

'We móéten vanavond terug naar de stad,' gilt de vrouw met de krullen, 'want we hebben koorrepetitie voor de voorstelling van morgen.'

'Wegwezen!' fluistert Eefie. En terwijl hun ouders de dames op de hoogte brengen, gaan de kinderen er vandoor.

Op de eerste verdieping komen ze oma tegen. Die heeft inmiddels in de gaten gekregen dat er iets aan de hand is. Opgewonden vertellen de kinderen dat het hotel is ingesneeuwd. En dat ze opgesloten zitten met Knot en Krul en Avenzathe.

'Dat is spannend,' zegt oma. 'Ik heb het ooit eerder meegemaakt. En als het niet te lang duurt, is het best gezellig.'

'Wat u gezellig noemt,' zegt Pepijn met een somber gezicht, 'met zulke geflipte gasten.'

'Maar Roy blijft ook hier,' zegt Nina, 'en dat is leuk.'

'En de zingende schilders,' zegt Eefie.

'En we kunnen niet naar school,' zegt Joost.

Ineens klaart het gezicht van Pepijn helemaal op. Dáár had hij nog niet aan gedacht.

'We moeten er maar het beste van maken,' zegt oma. 'We hebben alleen één probleem: Mona moet langzamerhand worden uitgelaten over de brandtrap.'

Pepijn zucht: 'Dat beest durft die trap niet op of af.'

'Dat wordt dus dragen,' zegt Joost opgewekt.

'O ja,' vraagt Pepijn grimmig, 'en door wie?'

'Door onze Pepijntje,' antwoordt Joost met een lief stemmetje.

'Mooi niet, jongen. En zeker niet met dit weer.'

'Maar niemand mag haar te zien krijgen.'

'Dan over de gewone trap,' stelt Eefie nuchter vast, 'maar dat wordt smokkelen.'

'Ja,' zegt Joost, 'en daarna laten we haar uit via de achterkant. We gebruiken de nooduitgang van de toneelzaal.'

Pepijn schiet in de lach. 'Zodra dat arme beest buiten komt, waait ze weg met die grote zeiloren.'

'En jullie erbij,' zegt oma.

'Ik denk het niet,' antwoordt Joost, 'want er is vandaag een matige tot krachtige zeer koude óóstenwind. Dat zeiden ze gisteren op het Jeugdjournaal. Die waait dus tegen de vóórkant van ons hotel. Daar hoopt zich alle sneeuw op.'
'Dit was het weerbericht van Radio Korenwolf,' zegt Pepijn.
Maar Eefie kijkt haar kleine broer bedachtzaam aan. 'Je zou best eens gelijk kunnen hebben, Joost. Aan de achterkant van het hotel waait het meestal minder hard.'
Maar oma zucht: 'Waar zijn we aan begonnen!'
Pepijn legt zijn arm om de schouders van zijn oma. 'Gaat u nou maar lekker naar beneden. Wij regelen alles. En als het mislukt, weet u van niets.'
'Niks daarvan,' protesteert oma, 'want ik ben net zo goed lid van de bende.'
'Heel goed, oma, zo ken ik u weer.'
Oma loopt naar de traplift, gaat op het stoeltje zitten en glijdt langs de leuning naar beneden. Dat liftje is een tijdje geleden speciaal voor haar gemaakt omdat ze niet meer zo goed ter been is.
De kinderen lopen verder over de eerste verdieping. Uit kamer zeven klinkt het gezang van de schilders: 'Ik moet steeds aan je denken, mijn hart doet zo'n zééééér. Wil mij je liefde schenken, ik vergeet je nimmer mééééér!'
Als de twee mannen de kinderen voorbij zien komen, roept Frank: 'We blijven hier vannacht!'
En Jo roept: 'Wat een bofkonten zijn wij, logeren in een echt hotel! En we krijgen lekker eten, heeft jullie vader gezegd. En dat allemaal voor niks.'
In oma's kamer worden de kinderen enthousiast begroet door Mona.
Als Pepijn haar riem vastmaakt, is ze helemaal niet meer te houden. Ze danst, dartelt en springt in het rond.
'Je moet zeggen "af",' roept Nina.
'Af!' brullen Joost en Pepijn tegelijk, maar het helpt niks.

Eefie pakt de hond bij haar riem, kijkt haar strak aan en zegt rustig: 'Zit, Mona!' Tot stomme verbazing van de anderen gaat de hond braaf op haar achterpoten zitten.

Eefie zegt met een verwaande blik tegen haar broers: 'Ach ja, je hébt het of je hébt het niet.'

'Raar beest,' mompelt Pepijn.

'Breng jij Mona naar beneden?' vraagt Joost aan zijn grote zus.

'En ik dan?' roept Nina.

'En ik dan?' roept Roy.

'Weet je wat?' stelt Pepijn voor. 'We maken er een optocht van. Dan vallen we helemaal niet op.'

'Doe niet zo flauw,' zegt Eefie.

Maar Nina en Roy roepen meteen: 'Jaaaa!'

Mona staat op en begint zachtjes te piepen. 'De nood is hoog,' zegt Pepijn.

Joost raakt ineens in paniek. 'Dadelijk plast ze hier in oma's kamer,' gilt hij, terwijl hij met zijn armen zwaait. 'We moeten naar beneden, maar dat kan niet. Als we Knot en Krul tegenkomen of Avenzathe of pap, dan… dan…'

Eefie kijkt haar broertje streng aan en zegt: 'Zit, Joost!'

Joost houdt meteen op met gillen en laat zich met een plof in de grote stoel vallen.

Hoofdschuddend zegt Pepijn: 'Onze Joostje had weer eens een paniekaanvalletje.'

'En nu verzinnen we een plan,' zegt Eefie.

Het gepiep van Mona gaat over in janken.

Pepijn wijst naar de hond en zegt: 'Ik zou wel opschieten met dat plan…'

Over!

'Joost, heb jij die walkietalkie nog?' vraagt Eefie.
'Ja, natuurlijk.'
'Onmiddellijk halen.'
Joost springt op en rent naar zijn eigen kamer. Ondertussen stuurt Eefie haar kleine zus en haar vriendje vast naar beneden. 'Jullie zijn de verkenners,' zegt ze. 'Ga zo gauw mogelijk naar de toneelzaal en kijk of daar niemand is.'
Als de kleuters weg zijn, geeft Pepijn zijn zus een complimentje. 'Goed gedaan, Eef, want met die twee guppen erbij, wordt het natuurlijk niks.'
Als Joost terugkomt, geeft hij een walkietalkie aan Eefie. Die legt uit hoe ze het zullen aanpakken. Pepijn blijft boven wachten en Joost gaat vooruit met de walkietalkie om te kijken of alles veilig is. Daarna volgt Eefie met de hond.
Joost vertrekt meteen en al snel knippert het lampje op de walkietalkie van zijn zus. Eefie drukt een knopje in en met veel gekraak horen ze de stem van Joost. 'Hier geheim agent XL 44. Ontvangt u mij, baas? Over.'
'Joost,' fluistert Eefie streng in haar walkietalkie, 'dit is geen spelletje. Doe effe normaal. Over.'
'Begrepen baas,' antwoordt Joost. 'Op de eerste verdieping is niemand. De schilders zijn al naar beneden. Over!'
'Ik kom,' zegt Eefie. Ze pakt Mona bij de riem en neemt haar mee naar de trap.
'Succes!' zegt Pepijn.
Het lampje knippert opnieuw. 'Hier agent XL 44,' fluistert

Joost gehaast. 'Niet komen, baas. Onraad. Over!'

Pepijn zucht. 'Die jongen is af en toe niet helemaal tof.'

Beneden horen ze een deur open- en dichtgaan en iemand over de gang lopen. Na een paar minuten laat Joost zich weer horen. 'Het was Mister Avenzathe, de gevaarlijke antiekboer. Hij ging naar beneden. Alles veilig hier. Geheime actie MMP kan beginnen, over.'

'Wat?' vraagt Eefie.

'Actie "Mona Moet Plassen". Over!'

Eefie loopt voorzichtig met de hond de trap af. Als ze halverwege is, meldt Joost zich opnieuw. 'Stop! Ik hoor een vreemd geluid uit kamer twee komen. Een soort geloei. Kan gevaarlijk zijn. Ik zal het nader onderzoeken. Over.'

Samen met Mona wacht Eefie midden op de trap. Na een paar minuten zegt Joost: 'Gevaar onderzocht. Het zijn Knot en Krul, de zingende koeien. Kom maar gauw, over.'

Eefie loopt met Mona snel de trap af en de gang door op de eerste verdieping.

Joost is al naar beneden vertrokken. Daarvandaan meldt hij: 'Hier agent XL 44 vanuit de hal. Iedereen zit in het café. Als je vlug bent, moet het lukken.'

Eefie rent met de hond achter zich aan de trap af, de hal door en de toneelzaal in.

Daar wordt ze met gejuich ontvangen door Nina en Roy.

'Sssst,' fluistert Eefie.

Gelukkig is Mona niet zo'n lawaaimaker. Ze begint wel meteen rond te rennen in de zaal maar blaft gelukkig niet.

'Actie MMP geslaagd,' zegt Joost.

'O, nee,' kreunt Eefie en ze wijst naar Mona.

'Mona doet een plas!' stelt Roy vast.

'Ze maakt een riviertje,' roept Nina.

'Actie MMP mislukt,' zegt Joost.

'Schiet op,' commandeert Eefie haar broer. 'Actie: haal een dweil en een emmer.'

'Komt in orde, baas!'
Joost loopt zo gewoon mogelijk de hal in naar de grote kast onder de trap. Daar staan de schoonmaakspullen en er zit ook een kraan. Joost laat water in een emmer lopen. Hij krijgt het er langzamerhand erg warm van. Als hij met de emmer en een dweil langs de trap loopt, komen Knot en Krul naar beneden.
'Aan de schoonmaak, jongeman?' vraagt Knot.
'Ja mevrouw, ik heb een flesje cola laten vallen. En dat moeten we altijd zelf opruimen.'
'Zo zo,' zegt Krul, 'jullie zijn dus toch een beetje opgevoed?'
'Nou en of!' roept Joost en hij maakt dat hij wegkomt.
In de zaal neemt Eefie de emmer van hem over en dweilt de plas op.
Daarna maken ze de zijdeur van de zaal open, die uitkomt aan de achterkant van het hotel. Daar valt het inderdaad mee met het weer. Het is er vrij beschut en je hebt er niet zoveel last van de sneeuwstorm.

Mona gaat onmiddellijk in de sneeuw zitten.
'Ze maakt een dikke drol,' roept Nina blij.
Als Mona klaar is, weet ze niet hoe vlug ze weer binnen moet komen, want het is buiten erg koud.
'Zo,' zegt Eefie tevreden als ze de deur dichtdoet, 'dat is opgelost.'
De terugweg verloopt zonder problemen.
Oma is inmiddels terug op haar kamer en ze is maar wat blij als Mona binnenstapt.

Die avond wordt het een gezellige boel in De Korenwolf.
Vader Jan heeft hutspot gemaakt voor alle gasten en de hele familie. Eigenlijk zou Kees de kok er zijn om te koken, maar

die kan De Korenwolf niet bereiken.

De kinderen eten in het kantoortje en de gasten zitten in het café om de grote tafel. Vader Jan is druk bezig in de keuken. Moeder Els draaft af en aan om de gasten te bedienen.

Pepijn heeft de deur van het kantoortje opengezet. 'Kunnen we horen wat Knot en Krul allemaal voor onzin uitkramen,' zegt hij. 'Hebben we er tenminste nog lol van.'

De kinderen luisteren met gespitste oren.

De zangeressen beklagen zich bij de andere gasten over het weer. 'We kunnen vanavond niet naar de repetitie,' zegt Knot met een snik in haar stem. 'Juist nu we morgen zo'n belangrijk concert hebben.'

'We worden namelijk opgenomen door de televisie,' zegt Krul.

'Wat vervelend voor u,' zegt meneer Avenzathe.

'Slijmbal,' fluistert Eefie in het kantoortje.

Ze horen Frank, de schilder, vragen: 'Hoeveel mensen zitten er in dat koor van u?'

'Tachtig,' antwoordt Krul.

'Nou, dan zullen ze u niet missen.'

'Met u praat ik niet meer,' snauwt Krul.

De kinderen moeten moeite doen om niet te hardop te lachen.

'Jammer,' zegt Frank. 'Ik had best een duetje met u willen zingen.'

Oma komt ook naar beneden om samen met haar kleinkinderen te eten. Ze loopt eerst het café binnen om de gasten gedag te zeggen. 'Goedenavond allemaal en smakelijk eten.'

'Wat gezellig dat u er bent,' roept meneer Avenzathe. 'Is het nog steeds "nooit"?'

'Nog steeds,' antwoordt oma.

'En als ik zeg: tweeduizend euro?'

'Hou toch op met dat gezeur, meneer Avenzathe,' zegt oma streng en ze loopt door naar het kantoortje.

De andere gasten willen van de antiekhandelaar weten waar het over gaat. De kinderen horen Avenzathe uitgebreid vertellen over Martha van Betanië. 'Een prachtig antiek beeldje en dat staat hier zomaar op een kastje bij de oude mevrouw. Het is echt zonde.'

Oma luistert even mee, maar trekt dan de deur van het kantoortje achter zich dicht. 'Ik wil die man niet meer horen.'

'Open laten,' zegt Eefie. 'We luisteren af.'

'Dat is onbeleefd,' zegt oma en ze gaat bij de kinderen aan tafel zitten.

Moeder Els komt haar beklag doen. 'Die twee vrouwen zitten te zeuren over het eten. Ze hadden iets anders verwacht dan hutspot.'

'Rustig laten zeuren,' zegt oma. 'Eten ze maar niet.'

Dan vertelt oma uitgebreid over die keer dat De Korenwolf ook was ingesneeuwd. 'We hadden maar een paar gasten en gelukkig genoeg te eten in huis. Het heeft vier dagen geduurd.'

'O nee,' kreunt Pepijn, 'vier dagen Knot en Krul. Als dat zo is, bouw ik voor mezelf een iglo op de parkeerplaats.'

'Het enige probleem was,' gaat oma verder, 'dat het wc-papier opraakte.'

De kinderen moeten daar erg om lachen. Vooral als oma vertelt dat ze voor alle zekerheid in de voorraadkelder heeft gekeken. 'Er staan tachtig pakken.'

Na een tijdje wordt het rustig in het café. De gasten zijn

naar boven vertrokken om op hun kamer televisie te kijken.
Moeder Els vraagt of oma de twee kleintjes in bed wil leggen.

'Met een sprookje,' zegt Nina, want oma is erg goed in sprookjes vertellen.

'Natuurlijk,' antwoordt oma.

Tevreden gaan Roy en Nina met haar mee. Pepijn komt er achteraan, want oma heeft hem gevraagd te helpen. Hij moet het logeerbedje voor Roy opzetten in de kamer van Nina.

Joost en Eefie spelen in het kantoortje een spelletje Scrabble. Daarna besluiten ze naar de huiskamer op de tweede verdieping gaan. Overdag komen ze er eigenlijk nooit. 's Avonds kijken ze er soms televisie, als ze niet bij oma terecht kunnen. Want die heeft geen zin meer in soap-series. 'Ik heb al soap genoeg gehad in mijn leven,' zegt ze altijd.

Joost zet net de doos met Scrabble in de kast van het kantoortje, als de huistelefoon rinkelt.

Eefie neemt op.

'Ben jij het, Eefie?' zegt een benauwde stem.

'Ja, oma.'

'Jullie moeten komen. Er is iets heel ergs gebeurd.'

Een hotelrat

Als Eefie en Joost bij oma aankloppen, maakt ze dadelijk de deur open. Met grote ogen kijkt ze de kinderen aan en stamelt: 'Martha van Betanië is verdwenen! Voor ik naar beneden ging, was ze er nog, dat weet ik zeker.'

Joost en Eefie kijken naar de kast in de hoek van de kamer. Het beeld is verdwenen.

'Ik had eerst Nina en Roy in bed gestopt,' vertelt oma. 'Pepijn heeft me nog geholpen met het logeerbedje. Daarna kwam ik hier en toen was Martha weg.'

'En Mona?' vraagt Joost.

Oma slaat wanhopig haar handen in elkaar. 'O nee, wat erg, die is ook weg. Daar heb ik helemaal niet meer aan gedacht. Ik was zo in de war van de heilige Martha.' Ze gaat met een zucht in haar stoel zitten en kreunt: 'Ik word oud.'

Eefie kruipt naast haar op de leuning en legt een arm om haar heen. 'Rustig maar, oma,' zegt ze lief. 'Daar kunt u toch niks aan doen.'

Joost ploft op de bank en roept: 'Het is natuurlijk die gluiperd van Avenzathe!'

'Nee, dat kán niet,' zegt oma. 'Meneer Avenzathe is geen hotelrat. Daar is hij te netjes voor.'

'Hotelrat?' vragen de kinderen verbaasd.

'Ja, zo noemden we dat vroeger altijd. Dat is iemand die expres in een hotel gaat logeren om dingen te stelen.'

'Avenzathe zat achter Martha aan,' zegt Eefie.

'En Mona heeft hij natuurlijk ook gejat!' roept Joost.

'Ik geloof er niks van,' zegt oma. 'Die man is niet zo dom dat hij zoiets doet. Hij zou als eerste verdacht worden. Iedereen hier in het hotel weet dat hij dat beeld wil hebben. Hij heeft het er vanavond onder het eten ook over gehad.'
Eefie knikt instemmend.
Maar Joost zegt: 'Volgens mij is die Avenzathe de rat.'
'Nee Joost,' zegt oma fel, 'je mag niet zomaar iemand beschuldigen.'
Er wordt geklopt en Pepijn komt binnen met Mona.
'Daar is mijn hondje!' roept oma blij.
'Nou de soepheilige nog,' zegt Joost.
Pepijn moppert: 'Jullie moeten beter op dat beest letten. Het is dat ik naar beneden liep om een colaatje te scoren. En wie liep er op haar gemakje rond te snuffelen in de hal? Juist, deze wandelende stofzuiger. Gelukkig waren pap en mam bezig in de keuken. Anders was onze asielzoekster zo op straat gezet.'

Mona rent op oma af en laat zich uitgebreid door haar aaien. 'Ach, mijn lieverdje,' zegt oma, 'weet jij misschien wie de hotelrat is?'

'Hotelrat?' vraagt ook Pepijn.

Eefie vertelt wat er gebeurd is.

'Maar die Avenzathe is het niet,' herhaalt oma.

Pepijn twijfelt. 'Ik vertrouw die man voor geen meter.'

'Maar waarom steelt hij ook Mona?' vraagt Eefie.

'Volgens mij heeft hij haar niet gepikt,' zegt Pepijn. 'Ik denk dat Avenzathe of een andere dief hier naar binnen is gestapt en schrok van Mona. Toen heeft hij haar naar de gang gestuurd. Nou, dat vond onze vrolijke flapper natuurlijk allang best.'

Eefie aait Mona over haar kop en zegt: 'Je bent een waakhond van niks.'

Mona begint onmiddellijk te kwispelen, alsof ze een groot compliment krijgt. Zelfs oma moet erom lachen.

'Maar we moeten eerst zeker weten of het Avenzathe écht is geweest,' zegt Pepijn ernstig.

'Yes,' roept Joost, 'we worden detectivebureau De Korenwolf!'

'Ho ho broertje, we maken hier geen spelletje van, hè, zoals vanmiddag met de walkietalkie.'

'Ja baas,' antwoordt Joost.

'O nee,' kreunt Eefie.

'We gaan eerst naar Avenzathe,' zegt Pepijn.

Oma schrikt. 'Wat wil je gaan doen bij die man?'

'Weet ik nog niet. Misschien gewoon vragen of hij dat beeld heeft gejat.'

Joost staat al bij de deur.

'Maar jij blijft hier,' zegt Pepijn. 'Ik neem alleen Eefie mee.'

'Nóú,' roept Joost verontwaardigd, 'ik hoor net zo goed bij het detectivebureau.'

'Juist daarom,' zegt Pepijn met een spottend lachje. 'Er

moet toch iemand hier het bureau bewaken? Agent Maassen, doe u plicht!' En samen met zijn zus verdwijnt Pepijn naar de gang.

Oma roept hen na: 'Wees alsjeblieft voorzichtig, kinderen!'

Joost blijft boos achter op de bank. 'Dat gaat natuurlijk hartstikke fout,' mokt hij. 'Pepijn is veel te lomp voor dit soort onderzoeken.'

Oma schuift de koektrommel naar hem toe: 'Hier, neem een stroopwafel.'

Terwijl Joost de wafel naar binnen werkt, zegt oma: 'Wat een toestand. En we zitten ook nog met zijn allen opgesloten in De Korenwolf.'

De ogen van Joost beginnen ineens te twinkelen als hij roept: 'Maar die hotelrat dus óók, oma! Die moeten we in elk geval ontmaskeren voordat het morgen gaat dooien.'

'Je hebt gelijk, jongen,' zegt oma verrast. 'En de heilige Martha moet dus ook nog hier zijn. Neem een stroopwafel!'

Joost pakt zijn tweede wafel en zegt tevreden: 'Agent oma, dat hebben wij samen goed bedacht, hier op het bureau.'

Oma grinnikt. 'Zo is dat, agent kleinzoon.'

Inmiddels staan Eefie en Pepijn voor de deur van kamer drie, waar meneer Avenzathe logeert.

'Ik hoor niks,' fluistert Pepijn.

'Volgens mij staat de televisie aan,' antwoordt Eefie zacht.

Pepijn wijst naar de deur van kamer twee. 'Dat komt daar vandaan. Knot en Krul kijken tv.'

Eefie drukt haar oor tegen de deur van kamer drie. 'Ik denk dat Avenzathe onder de douche staat.'

Voorzichtig voelt Pepijn aan de klink van de deur. 'Yes,' sist hij, 'we hebben geluk. De deur is open.'

Hij wil naar binnen gaan, maar Eefie fluistert geschrokken: 'Pepijn, dat kun je niet doen!'

'We móéten het weten,' zegt Pepijn. 'Het gaat om de heilige Martha van onze oma. Kom!'
Eefie slikt en sluipt achter haar grote broer aan de kamer in. De twee kinderen kijken de kamer rond en zien dat de deur naar de badkamer op een kier staat. Ze horen het geluid van de douche.

'Zolang hij dáár is,' fluistert Pepijn koelbloedig, 'is hij niet hier.'
Eefie heeft de bibbers. Ze knijpt haar vuisten dicht en zegt tegen zichzelf: 'Niet bang zijn, Pepijn durft het ook.'
Haar grote broer wijst naar het bed. 'Daaronder,' zegt hij bijna onhoorbaar.
Zelf loopt hij op zijn tenen naar de kast en maakt die voorzichtig open. Er hangen wat kleren in, maar verder is hij leeg.
Eefie kijkt onder het bed. Daar is niets te zien.

Ineens begint Avenzathe loeihard te zingen. 'Ik ben zo eenzaam zonder jou,' galmt het vanuit de badkamer. Het is niet om aan te horen. De antiekhandelaar zingt zo vals als een oude kraai.

Eefie krijgt bijna de slappe lach. Met moeite houdt ze zich in.

Pepijn gebaart dat ze mee moet komen naar de gang.

Plotseling wordt er op de deur geklopt en een vrouwenstem roept: 'Meneer Avenzathe, kan het wat zachter!'

In de badkamer galmt de antiekhandelaar enthousiast verder.

Het kloppen verandert in keihard bonzen: 'Meneer!' gilt een hoge stem. 'Meneer, alstublieft!'

Eefie en Pepijn staan als verstijfd. Ze herkennen de stem van Knot.

In de badkamer stopt Avenzathe met zingen.

'Onder het bed,' fluistert Pepijn tegen zijn zus, terwijl hij zelf in de kast verdwijnt.

Eefie duikt onder het bed.

Net op tijd, want ze hoort de douche uitgaan en Avenzathe roept: 'Ja, ik kom al!'

Eefie ziet een paar harige blote benen voorbijkomen. Het water druipt er vanaf.

Het gebons is inmiddels opgehouden.

'Wat is er aan de hand?' vraagt Avenzathe.

Vanuit de gang roept Knot: 'Wij slapen hiernaast en wij willen graag rust.'

En Krul roept: 'We hebben morgen een belangrijk concert.'

'Daar hoeft u niet zo'n toestand van te maken,' moppert Avenzathe. 'U slaat zowat mijn deur uit de sponning.'

'En verder,' roept Knot, 'is uw gezang niet om aan te horen. Het doet pijn aan onze geoefende oren.'

Avenzathe heeft kennelijk geen zin in verder gezeur, want hij zegt braaf: 'Neemt u mij niet kwalijk. Ik zal zachtjes doen. Welterusten dames.'

De harige benen komen weer voorbij en Eefie hoort Avenzathe mompelen: 'Zeikwijven.' De douche gaat weer aan, maar er wordt niet meer gezongen.

'Pssst,' fluistert Pepijn, 'wegwezen hier!'

Zo snel, maar zo zacht als ze kunnen, sluipen de kinderen naar de gang.

Gniffelend komen ze bij oma en doen verslag.

Ten slotte zegt Pepijn: 'Volgens mij heeft Avenzathe dat beeld niet. Of hij moet ermee onder de douche hebben gestaan, maar dat lijkt me stug.'

'Hij had wel harige poten,' zegt Eefie.

'Dus toch een vampier,' zegt Joost.

Oma staart peinzend voor zich uit en zegt: 'Wie kan het dán gedaan hebben? Het moet iemand zijn die in ons hotel zit, want niemand kan hier weg.'

'Dat is waar,' roept Eefie. 'Daar had ik niet aan gedacht.'

Joost kijkt haar verwaand aan. 'Ach ja,' zegt hij. 'Terwijl jij naar die lekkere blote benen keek, hebben wij hier niet stilgezeten, hè oma?'

Oma knikt.

'Dus als het die antiekboer niet is,' zegt Pepijn, ' kunnen het alleen nog Knot en Krul zijn of de twee schilders.'

'Misschien is het een bende,' zegt Joost, 'net als wij.'

'Onzin, broertje. Die mensen hebben verder niks met elkaar te maken.'

'Jawel,' zegt Joost, 'ze zíngen namelijk állemaal. Zelfs Avenzathe, dat hebben jullie net verteld.'

Verbaasd kijkt Eefie hem aan. 'Wat ben jij vandaag scherp.'

'Ach ja,' antwoordt Joost, 'júllie knappen het vuile werk op, maar ík ben het brein van ons detectivebureau.'

Pepijn slaat hem lachend op zijn schouder. 'Je blijft onverbeterlijk, broertje.'

Joost kijkt de anderen vol trots aan en zegt: 'Dat wordt dus: de ontmaskering van de zíngende hotelrat!'

Betrapt

De volgende morgen is de sneeuwstorm voorbij. Vader Jan is al vroeg bezig met een grote bezem om de deur van het café sneeuwvrij te maken. Pepijn komt zijn vader helpen. Ze graven meteen een smal paadje naar de parkeerplaats en de weg.

Oma heeft gisterenavond vader Jan en moeder Els ingelicht over de verdwijning van de heilige Martha.

'Avenzathe,' had moeder Els meteen gezegd.

Maar vader Jan was voorzichtiger geweest. 'Dat is een goede klant. Die kun je niet zomaar beschuldigen.'

Oma heeft maar niet verteld dat Eefie en Pepijn op zijn kamer waren geweest.

Nu staat Pepijn met zijn vader op het terras voor De Korenwolf. Samen kijken ze uit over het Zuid-Limburgse land, dat er prachtig bij ligt. Af en toe breekt zelfs de zon door de wolken heen. Maar het vriest nog stevig en de weg naar het dorp blijft spiegelglad.

'Voorlopig kan hier niemand weg,' zegt Pepijn.

Vader Jan knikt: 'En dat is maar goed ook, want eerst moet Martha terug. Oma is ontzettend gehecht aan dat beeld.'

'Maar de politie waarschuwen heeft geen zin,' zegt Pepijn. 'Hoe zouden die hier moeten komen? Áls ze al willen komen voor een beeld.'

Vader Jan leunt bedachtzaam op zijn bezem en zegt: 'Straks maakt mam de kamers van de gasten schoon. Die zullen nog een nachtje moeten blijven, verwacht ik. Ik wilde daarom Eefie en jou vragen om mam te helpen. En ondertussen goed rond te neuzen in de kamers. Misschien ontdekken jullie iets.'

'Prima idee, pap,' zegt Pepijn. 'Dat beeld moet ergens zijn.'

De blik van vader Jan dwaalt even over het terras. 'Hé, de tuinkabouter is ook weg. Nina zou die terugzetten in de hoek van het terras.'

Samen met Pepijn loopt hij naar de plek waar Flip hoort te staan.

'Dit wordt te gek,' zegt vader Jan. 'Ik ben bang dat het tóch Avenzathe is. Die had het gisteren niet alleen over Martha. Hij zei dat die tuinkabouter ook wat waard was. Maar ik kan het haast niet geloven. Het is zo'n keurige man.'

Pepijn probeert zich te herinneren of hij in de kamer van Avenzathe toevallig een kabouter heeft gezien. En tegen zijn vader zegt hij: 'Maar waar moet die man al die beelden laten?'

'Nou, kijk voor alle zekerheid goed in de kast, als je straks zijn kamer poetst.'

Bijna wil Pepijn antwoorden: 'Dat heb ik al gedaan.' Maar hij houdt net op tijd zijn mond dicht.

Ineens horen ze geblaf. Het geluid komt van de achterkant van De Korenwolf.

Shit, denkt Pepijn, ze zijn Mona aan het uitlaten.

'Ik hoor een hond,' zegt zijn vader.

'O ja,' antwoordt Pepijn en hij probeert zo onschuldig mogelijk te kijken.

Iemand roept: 'Blijf hier, Mona!' Pepijn herkent de stem van Joost.

'Niet weglopen,' gilt kleine Nina.

En Roy roept: 'Af! Zit! Koest! Lig!'

'Niet doen!' Dat is de stem van Eefie. 'Jullie jagen Mona veel te veel op. Dadelijk loopt ze weg.'

'Wat gebeurt daar allemaal?' vraagt vader Jan.

Voor Pepijn kan antwoorden, stuift Mona de hoek om. Als ze Pepijn ziet, rent ze naar hem toe en springt vrolijk tegen hem op.

'Is dat die hond van gisteren?' vraagt vader Jan verbaasd.

'Ja, zoiets,' stamelt Pepijn.

Eefie, Joost, Nina en Roy komen ook de hoek om racen. Zodra ze vader Jan zien, staan ze onmiddellijk stil. Dat wil zeggen: Joost glijdt uit en Nina en Roy botsen tegen Eefie op. Die valt om en de twee kleuters ploffen boven op haar.

'Au!' gilt Eefie.

Mona huppelt naar Eefie toe en likt haar over haar gezicht.

'Wat lief,' roept Nina, 'Monaatje komt troosten.'

De kinderen krabbelen overeind.

Eefie wrijft over haar arm die pijn doet.

'Is die hond teruggekomen?' vraagt vader Jan, niet eens onvriendelijk. Hij denkt kennelijk nog steeds dat Mona opnieuw is komen aanlopen.

Daarom probeert Pepijn te seinen dat ze niet te veel moeten zeggen. Hij houdt zo onopvallend mogelijk zijn vinger voor zijn mond.

Maar kleine Nina gaat met haar handjes in haar zij voor haar vader staan. 'We hebben Mona ondergeduikt bij oma,' roept ze boos. 'Omdat jij gisteren zo gemeen deed.'

'O Nina,' kreunt Pepijn.

Vader Jan begrijpt het nog niet helemaal. 'Hoezo ondergeduikt?' vraagt hij.

Pepijn haalt zijn schouders op en zegt: 'Jongens, laten we het maar vertellen. Het is nou toch al verpest door onze gup.'

Als vader Jan het hele verhaal heeft gehoord, is hij stomverbaasd. 'Dus die hond is al hier vanaf gistermiddag? En niemand van de gasten heeft haar gezien?'

'Goed van ons, hè pap?' zegt Joost trots.

'Mogen we haar nou houden?' vraagt Nina hoopvol.

'Niks daarvan! Zijn jullie nou een haartje betoeterd. En oma zat verdorie ook in het complot.'

'Die vindt het heerlijk,' zegt Eefie. 'Ze moest denken aan haar eigen hond. Toen ze zelf klein was. Maar oma heeft wel het asiel gebeld om te zeggen dat Mona hier is. Zolang het baasje haar niet ophaalt, mag ze bij oma blijven.'

'O kinderen,' kreunt vader Jan, 'wat moet ik in 's hemelsnaam met jullie?'

'Ons een hond geven,' antwoordt kleine Nina.

'Déze hond,' zegt Roy opgewekt.

'Geen sprake van,' zegt vader Jan nijdig. 'Weten jullie trouwens waar de oude tuinkabouter is gebleven? Die is ook ineens weg.'

'Flip?' zegt Joost verbaasd.

Eefie mompelt: 'Het móét Avenzathe zijn, dat kan niet anders.'

Nina pakt Mona bij haar riem. 'Kom, we gaan gauw naar oma.' En ze wil naar de ingang van het café lopen.

'Niet daardoor,' roept vader Jan. 'Jullie nemen de brandtrap, want de gasten hoeven niet te weten dat die hond hier is.'

Pepijn kreunt: 'O nee!'

'Hup, wegwezen!' snauwt vader Jan. 'Het is mooi geweest. En zeg tegen oma dat ik straks langskom. Is ze nou helemaal gek geworden.'

'Oma is niet gek,' zegt Nina, 'oma is lief.'

Eefie trekt haar kleine zusje en de hond gauw met zich mee. Ze is allang blij dat Mona nog mag blijven.

In optocht vertrekken de kinderen naar boven. Die arme Pepijn moet Mona weer dragen. Maar Eefie en Joost proberen hem zoveel mogelijk te helpen.

Bij oma brengt Joost verslag uit op zijn bekende manier. 'Ja, beste luisteraars van Radio Korenwolf, de bende wilde alleen maar hun hondje uitlaten. Toen werden zij betrapt door de gemene hondenhater Jan Maassen. Hij was woedend. Hoe zal dit aflopen? Wij houden u op de hoogte, luisteraars, en schakelen voor nu terug naar de studio.'

Oma neemt het op voor haar zoon. 'Jan is geen hondenhater. Dat mag je niet zeggen, Joost. Maar dieren in een hotel, dat gaat nou eenmaal moeilijk.'

'En van pap mag Mona blijven,' zegt Eefie, 'dus zo gemeen is hij niet.'

'Ga allemaal zitten,' zegt oma, 'want ik moet jullie iets vertellen.'

De kinderen kijken elkaar aan.

'En komen jullie maar bij mij op schoot,' zegt ze tegen Roy en kleine Nina. 'Het gaat over Mona.'

'Ik snap het al,' zegt Pepijn als hij naast Eefie en Joost op de bank schuift.

'Ik ben net opgebeld,' begint oma, 'door een meneer.'
Nina's lip begint meteen te trillen. Oma aait haar over haar hoofd. 'Die meneer heeft van het asiel gehoord dat Mona hier is. Ze waren haar al een paar dagen kwijt en het zoontje van die meneer is vreselijk verdrietig. Als het weer beter wordt, komen ze Mona halen.'
Bij Nina stromen de tranen over haar gezicht. 'Ach, mijn meisje,' zegt oma. 'Maar je ziet Mona vast nog wel eens. De mensen van wie Mona is, zijn hier pas in het dorp komen wonen. En Jasper heeft er niet van geslapen, zei zijn papa.'
'Jasper?' roept Roy. 'Die zit bij ons in groep twee. Dat is een nieuw kindje.'
'Klopt,' antwoordt oma, 'hij kende jou en Nina.'
'Is Mona van Jasper?' vraagt Nina met betraande ogen.
Oma knikt.

Ineens vindt Nina het niet meer zo heel erg. 'Jasper is lief,' zegt ze.

Er wordt geklopt en vader Jan komt binnen.

Nina springt van haar oma's schoot en roept: 'Pap, mag Jasper hier morgen komen spelen met zijn hond?'

En Mona rent meteen naar hem toe en springt tegen hem op. Vader Jan aait over haar kop. 'Je bent in elk geval een leuke hond,' zegt hij.

De kinderen halen opgelucht adem. Hun vaders boze bui is over. Zo gaat het gelukkig meestal.

Pepijn vertelt aan hem dat ze inmiddels weten van wie Mona is. En dat ze wordt opgehaald, zodra het kan.

'Fijn,' zegt vader Jan, 'maar oma, ik moet toch ernstig met u...'

'Ja, ik weet het,' onderbreekt oma hem. 'Ik ben stout geweest. Maar dat komt doordat ik lid ben van de bende van De Korenwolf.'

'Stroopwafel!' roepen alle kinderen in koor.

Die rothond

Een uurtje later zitten Joost, Nina en Roy bij oma te ganzenborden.

Als Joost niet aan de beurt is, houdt hij de deur in de gaten. Na een tijdje wordt hij ongeduldig. 'Pepijn en Eefie moeten zo langzamerhand klaar zijn met poetsen. Het zijn maar een paar kamers die ze moeten doen. Knot en Krul hebben kamer twee, Avenzathe kamer drie en de schilders slapen in vijf.'

'Misschien moeten ze beneden nog de ontbijtboel opruimen of zo,' zegt oma.

'Zij liever dan ik,' zucht Joost. Hij ziet er tegenop dat hij over een tijdje ook zal moeten meehelpen. Nu zijn Pepijn en Eefie meestal de klos, omdat die wat ouder zijn. Maar het zal niet lang meer duren voor Joost ook aan de beurt is.

Ineens begint Nina heel hard te huilen.

'O nee,' zegt Joost, 'Nina heeft weer wat. Je bent af en toe net een wandelende waterval.'

Zelfs Mona, die op de bank heerlijk ligt te slapen, komt overeind.

'Wat is er, lieverdje?' vraagt oma.

Roy barst ook los in heftig gesnik.

'Ze kunnen natuurlijk niet tegen hun verlies,' zegt Joost.

'Nééééé!' jammert Nina.

'Zijn jullie verdrietig om Mona?' vraagt oma.

'Oóóóók,' snikt Roy.

'En waarom dan nog meer, kinderen?'

'Flip,' snottert Nina. 'Wíj hebben Flip gestolen.'

Joost brult het uit van het lachen.

'Niet doen, Joost,' zegt oma bestraffend.

Joost duikt gauw op de bank en duwt zijn hoofd in een kussen. Zo probeert hij zijn lach te smoren, maar het lukt niet echt. Hij kan niet ophouden met schateren. En de hond denkt dat Joost wil spelen en begin aan het kussen te sjorren.

'Áf Mona,' zegt oma streng, 'en Joost, hou onmiddellijk op met dat gehinnik!' Ze klinkt heel boos. Eindelijk lukt het Joost om te stoppen. Want als oma eenmaal écht kwaad wordt, nou, berg je dan maar.

'Goed zo,' zegt oma tevreden. 'Zo kinderen, en vertel eens over de tuinkabouter.'

Met horten en stoten komt het verhaal eruit. Gisteren wilden ze Flip redden, maar dat mocht niet van vader Jan.

'En toen waren we heel boos,' gaat Nina verder. 'En toen hebben we Flip in het fietsenschuurtje onder een oude deken gelegd.'

'Hij had het heel koud,' zegt Roy, 'want hij was ziek.'

'En toen kwamen we uit het schuurtje,' zegt Nina, 'en toen kwam Mona zomaar uit de struiken. En die was ook zielig.'

'Waarom heb je dat niet tegen je vader gezegd,' vraagt oma, 'toen hij naar Flip vroeg?

'Hij was zo boos,' snikt Nina. 'Hij had een rooie kop. Ik durfde niet.'

Joost schiet weer in de lach en gelukkig doet oma deze keer mee.

Eefie en Pepijn stappen de kamer binnen.

'Niks,' zegt Pepijn, 'geen Martha en geen tuinkabouter.'

'Flip is al terecht,' zegt Joost en hij vertelt wat Nina en Roy hebben uitgespookt.

Mona begint ineens te piepen.

'Moet je nou alweer uit?' vraagt oma. 'Je bent vanochtend al buiten geweest.'

'Shit,' zegt Joost. 'Ze heeft toen helemaal niks gedaan. Zodra ze buiten kwam, vloog ze naar de voorkant. Daar viel ze in handen van de grote hondenvanger Jan Maassen. Daarna moesten we meteen naar boven.'

'Ze moet dus nog een keer uitgelaten worden,' zegt Eefie.

Joost maakt een sierlijk gebaar richting Mona en zegt: 'Pepijn, ga je gang.'

'Niks nie,' gromt Pepijn. 'Ik ga dat beest niet weer de brand-trap af sjouwen. Ik denk dat agent XL 44 in actie moet komen.'

Joost is al weg om de walkietalkies te halen. En Nina en Roy worden vast vooruitgestuurd naar de toneelzaal.

'Succes zus!' zegt Pepijn.

Eefie loopt de kamer van oma uit met Mona aan de riem. Ze wacht boven aan de trap en al snel meldt Joost zich.

'Hier is hij weer, agent XL 44 voor het betere spionagewerk, over!'

Deze keer besluit Eefie het anders aan te pakken. Geheimzinnig fluistert ze in haar walkietalkie: 'Hier de beruchte spionne Eva de Beva met levensgevaarlijke hond. Over!'

Het blijft een paar seconden stil aan de andere kant. Dit had Joost niet verwacht, maar dan antwoordt hij: 'Gaaf zeg, Eva de Beva! Hier alles rustig. Schilders niet aan het werk. Zitten vermoedelijk in café aan koffie. Over!'

'En Avenzathe en de zangeressen, XL 44?' vraagt Eefie.

'Zal aan deuren luisteren. Tot zo, Eva de Beva. Over!'

Mona begint ondertussen erg zenuwachtig te worden. Ze piept en wiebelt met haar achterste. 'Je mag bijna,' zegt Eefie.

Gelukkig meldt Joost zich weer. 'Alles rustig, niets te horen. Over!'

'Ik kom, XL 44. Over!'
Razendsnel rent Eefie met de hond de trap af en de gang door langs alle hotelkamers. Joost staat voor de deur van kamer twee op haar te wachten.
Als Eefie en Mona bij hem zijn, vliegt ineens de deur open. Krul komt naar buiten en krijst: 'Wat gebeurt hier? Jullie zijn aan het afluisteren, hè!'

Knot verschijnt achter haar in de deuropening. Als ze Mona ziet, spert ze haar ogen wijdopen. 'Daar is die rothond weer!' gilt ze en ze vlucht naar binnen.
Eefie sleurt Mona met zich mee en dendert de trap af naar de hal. Joost draaft er achteraan. Ze verwachten dat de Krul hen zal achtervolgen, maar er gebeurt niets.

Beneden vluchten ze zo snel mogelijk de toneelzaal in. Net op tijd, want hun vader komt op het lawaai af. Maar wanneer hij vanuit het café de hal in loopt, is daar niemand meer te bekennen.

In de zaal hijgt Eefie: 'Dat ging dus hartstikke fout.'

'Ik kon er niks aan doen, Eefie,' stamelt Joost. 'Het was doodstil in die kamer, echt waar. Ik wist bijna zeker dat die akoestische zangeressen er niet waren.'

Mona draaft meteen naar de nooduitgang. Nina en Roy hebben die alvast opengemaakt. Opgelucht gaat de hond in de sneeuw zitten en doet een grote plas.

'Oooo,' roept Nina vol bewondering, 'dat is veel!'

Eefie ploft op een stoel en probeert op adem te komen. Ze heeft nog net de puf om tegen de kleuters te roepen: 'Houd Mona aan de lijn. Ze mag niet ontsnappen.'

Joost staat er ondertussen een beetje beschaamd bij.

Ze schrikken als de deur van de zaal opengaat. Gelukkig is het Pepijn.

'Dat ging mooi fout, hè?' zegt hij. 'Ik stond boven aan de trap bij oma te luisteren of het lukte met onze zeiloor. Ineens hoor ik me die allergische vrouwen tekeergaan. Ik kon het letterlijk verstaan. Dat heeft onze agent XL 22 dus mooi verpest!'

'XL 44,' antwoordt Joost knorrig.

'Dat klopt,' zegt Pepijn met een knipoog naar Eefie, 'maar als je iets laat mislukken, gaat de helft eraf. Dan wordt het XL 22. Voor straf, hè baas?'

'Nee,' kreunt Joost.

'Wacht eens,' zegt Eefie en ze springt overeind van haar stoel. 'Wat riep Knot precies toen ze Mona zag?'

'Het was iets van: "Daar heb je die rothond weer," 'antwoordt Pepijn.

'Ja, dát was het. Ze zei: "wéér." Maar dat kán helemaal niet, want ze heeft Mona nog nooit gezien.'

Pepijn roept: 'Eefie, je bent briljant! Dat mens heeft onze flapper dus wél eerder gezien.'

'Natuurlijk!' roept Joost. 'Bij oma op de kamer. Toen ze dat beeld pikte en Mona heeft weggejaagd. Dat is de enige keer geweest dat iemand anders dan wij Mona heeft gezien.'

Verbluft kijken de kinderen elkaar aan. En Pepijn zegt: 'Shit, het zijn dus de allergische vrouwen en niet de antiekboer.'

'De zingende hotelratten,' zegt Joost triomfantelijk.

De ontmaskering

'We moeten alles zo gauw mogelijk aan pap en mam vertellen,' zegt Eefie. 'Voordat die twee er vandoor gaan.' Ze wordt ineens heel zenuwachtig.

Pepijn legt zijn hand op haar schouder. 'Rustig maar, zus, we gaan snel actie ondernemen. Joost, jij neemt de kleintjes en die hond mee naar boven en licht oma in. Eefie en ik gaan naar pap. De heilige Martha móét hier ergens zijn.'

'Ja maar, ik wil ook...' zegt Joost. Verder komt hij niet, want Pepijn onderbreekt hem: 'XL 44, doe uw plicht. Of is het soms XL 22?'

'Nee nee,' roept Joost, 'ik ben al weg. Kom kinderen, kom Mona!'

Eefie en Pepijn vinden hun ouders in het kantoortje. Die kunnen hun oren niet geloven. 'Die twee keurige dames?' vraagt vader Jan verbaasd.

'Wat je keurig noemt,' zegt Pepijn smalend.

'Dat kan niet,' zegt moeder Els.

Op dat moment komen Joost, Mona en de twee kleuters naar binnen stormen. 'Die akoestische vrouwen zijn weg!' roept Joost opgewonden. 'Hun kamerdeur stond wagenwijd open.'

'Dat hoeft niets te betekenen,' zegt vader Jan.

Maar moeder Els begint te twijfelen. 'Jan, ik zou toch maar even buiten kijken.'

Vader Jan staat op en loopt door het café naar buiten. Pepijn en Eefie gaan achter hem aan. De andere kinderen en Mona willen ook mee, maar moeder houdt hen tegen. Roy en Nina vinden het niet zo erg. Het is zo al spannend genoeg. En Mona vindt alles best. Maar Joost is teleurgesteld. Hij voelt zich langzamerhand volkomen mislukt als agent XL 44.

Gelukkig komt oma net binnen. 'Ik hoorde een hoop kabaal,' zegt ze, 'en dacht, ik ga eens kijken. Wat is er allemaal aan de hand?'

Joost leeft helemaal op. Hij kan gelukkig weer Radio Korenwolf spelen en doet verslag van 'de laatste ontwikkelingen'.

Buiten zijn Knot en Krul druk bezig met twee scheppen hun auto uit te graven. Er ligt bijna een meter sneeuw omheen. Ze zijn al aardig ver gevorderd en er kan zelfs al een potier open.

'Gaat u er vandoor?' vraagt vader Jan vriendelijk.

'Ja,' antwoordt Knot met hoge stem, 'want we merkten dat het is gaan dooien. We willen proberen in de stad te komen.'

'Kunnen we toch nog repeteren met het operakoor,' zegt Knot.

'Mogen we in de achterbak van uw auto kijken?' vraagt Pepijn.

Krul kijkt hem aan alsof ze hem wil opvreten en zegt: 'Hoezo? Wat heb jij te zoeken in onze achterbak?'

'Gewoon even kijken.'

Vader Jan weet niet zo goed wat hij hiermee aan moet en zegt: 'Laat nou maar, Pepijn.'

Maar die vindt dat zijn vader veel te beleefd is. 'Waar is de heilige Martha?' vraagt hij boos.

Knot lacht overdreven. 'Wie?'

'Het beeld van mijn oma, koe!'

'Pepijn!' roept vader Jan.

En Knot protesteert: 'Erg opgevoed ben je niet, hè jongen?'
Krul kijkt Pepijn minachtend aan en zegt: 'Wij stelen geen
beelden van oude dames.'
Pepijn loopt boos naar de achterkant van de auto en maakt
daar de klep open. 'Leeg,' zegt hij teleurgesteld.
Vader Jan roept streng: 'Naar binnen, Pepijn! Het is genoeg
geweest. En neemt u ons vooral niet kwalijk, dames.'
Eefic heeft ondertussen om zich heen staan kijken. Ze stoot

haar vader aan en zegt: 'Kijk pap, er lopen voetstappen vanaf hier naar het fietsenschuurtje. En terug.'

Vader Jan kijkt de twee vrouwen onderzoekend aan. 'Wat zocht u in het schuurtje?'

Knot begint zenuwachtig te kuchen en Krul stamelt: 'Eeeh… een schep… we zochten een schep om de auto uit te graven.'

Pepijn en Eefie rennen half glijdend en schuivend naar het schuurtje.

Als ze binnen zijn, hoort vader Jan zijn dochter roepen: 'Pap, hier ligt de heilige Martha onder een deken!'

'Samen met Flip de kabouter,' roept Pepijn er achteraan.

Vader Jan vraagt aan de vrouwen: 'Weet u hier iets van?'

'Hoe komt u daarbij!' roept Krul woedend. 'Ik ga mijn beklag doen bij de directeur van de schouwburg in Maastricht. Wij zullen ervoor zorgen dat u nooit meer gasten van hem krijgt.'

Eefie en Pepijn komen het schuurtje uit. Als een soort over-winnaar houdt Eefie het beeld van Martha in de lucht. Pepijn tilt de tuinkabouter boven zijn hoofd.

Knot roept wanhopig: 'Maar die tuinkabouter hebben wij niet gestolen! Daar weten we niks van.'

'Dus het beeld van Martha wél?' vraagt vader Jan.

'Nee!' krijst Knot en ze barst in tranen uit.

Krul rukt het portier van de auto open en schuift achter het stuur. 'Instappen!' schreeuwt ze tegen Knot en ze probeert de auto te starten. Dat lukt niet.

Pepijn en Eefie komen naar de auto toe lopen.

'Moeten we duwen?' vraagt Pepijn vals.

'Barst!' roept Knot. Ze stapt in en slaat het portier met een klap dicht.

'Laat die twee maar,' zegt vader Jan. 'Kom, we gaan eerst oma blij maken en dan bel ik de politie. Én de directeur van de schouwburg.'

Samen gaan ze naar binnen met Flip en de heilige Martha.

Daar worden ze enthousiast begroet door de rest van de familie. Oma is helemaal gelukkig dat ze de heilige Martha terug heeft.

Vader Jan krijgt te horen dat Nina en Roy de kabouter in de schuur verstopt hadden.

Buiten hebben Knot en Krul hun auto aan de gang gekregen en rijden voorzichtig de parkeerplaats af in de richting van het dorp.

'Vlug de politie bellen,' roept Eefie.

Vader Jan verdwijnt meteen in het kantoortje.

'Zo hard zullen ze niet durven te rijden,' zegt Pepijn. 'Heeft de politie mooi de tijd om ze op te vangen in het dorp.'

Meneer Avenzathe stapt het café binnen. 'Ik was net mijn middagslaapje aan het doen, toen ik een hoop kabaal hoorde. Kijk eens aan, de heilige Martha is zowaar hier beneden. Wat leuk!'

'Maar ze gaat nu meteen naar boven,' zegt oma.

De twee schilders komen achter de antiekhandelaar aan.

'Het leek wel een film,' roept schilder Jo, 'daarnet op de parkeerplaats.'

'We waren kamer negen aan het schilderen,' vertelt Frank, 'en ik keek toevallig uit het raam. En ik zeg: "Jo, moet je nou kijken. Die twee rare vrouwen willen er vandoor gaan".'

'Ze hadden de heilige Martha gestolen,' zegt Eefie.

'Maar die is weer terug!' roept Joost.

'Proficiat!' antwoordt Jo.

'En Flip de tuinkabouter ook,' zegt Eefie.

'Nogmaals proficiat,' zegt Frank.

Vader Jan komt het kantoortje uit. 'Zo, iedereen is op de hoogte. Die twee dames kunnen niet meer ontsnappen.'

'Gaan die twee akoestische vrouwen nou de gevangenis in?' vraagt Joost.

'Dat moet de politie maar uitmaken. De directeur van de schouwburg schrok wel van mijn verhaal. Hij zei dat er al langer een vermoeden bestond dat die twee vrouwen niet deugden. Ze schijnen al eerder verdacht te zijn van diefstal. Maar het was nooit te bewijzen. Tot vandaag. Compliment voor Eefie, die de voetstappen in de sneeuw zag.'

'En voor Pepijn!' roept Eefie.

Vader Jan knikt. 'Je had gelijk, Pepijn. Ik blijf soms wat te lang beleefd tegen de gasten, terwijl ze het niet verdienen.'

'Maar wie had dat ook kunnen bedenken?' Moeder Els zucht. 'Twee stelende zangeressen.'

'Dat is waar, mevrouw,' zegt schilder Jo, 'maar ze zingen voortaan wel een toontje lager.'

Op dat moment rijdt er een andere auto de parkeerplaats op.

'Ah,' zegt Avenzathe, 'de wegen kunnen inderdaad gebruikt worden.'

Uit de auto stapt een meneer met een jongetje.

Nina rent naar het raam en zegt sip: 'Dat is Jasper.'

Als Jasper en zijn vader het café binnenkomen, rent Mona luid blaffend op hen af.

Jasper slaat twee armen om de hond heen en juicht: 'Mona!'

Nina kruipt tegen Eefie aan en begint zachtjes te huilen.

'Fantastisch,' roept de vader van Jasper blij, 'dat jullie Mona zolang hebben hier gehouden.'

'Ze moet hier blijven,' snikt Nina.

'Dat kan niet,' zegt Eefie.

Moeder Els vertelt aan Jasper en zijn vader dat Nina stapelgek is van Mona.

'En ik ook!' roept Roy.

'En wij ook,' zegt Joost terwijl hij naar Eefie, Pepijn en oma wijst.

'Ik snap het,' zegt de vader van Jasper. 'Jullie mogen Mona zo vaak komen opzoeken als je maar wilt. En als Nina en Roy het leuk vinden, mogen ze zelfs een keer komen logeren bij Mona.'

'En bij mij!' zegt Jasper.

'Jaaaa,' roepen Roy en Nina tegelijk.

'Die hond is hartstikke cool,' zegt Pepijn.

'Ze heeft meegeholpen een diefstal op te lossen,' zegt oma.

Eefie grinnikt: 'Zonder dat ze het zelf in de gaten had.'

'Precies,' roept Joost, 'dankzij Mona hebben wij de zingende hotelratten ontmaskerd!'

Een hotel in mijn hoofd...

Er zit al jaren een hotel in mijn hoofd. Een gezellig familiehotel met een stuk of tien logeerkamers, een restaurantje waar je wat kunt eten en een café waar je koffie kunt drinken met een groot stuk taart erbij.

Als een schrijver zoiets in zijn hoofd heeft, dan is de kans groot dat het ooit een boek wordt.

Het is trouwens niet zo gek dat ik vaak aan een hotel denk. Ik ben opgegroeid in een hotel, omdat mijn ouders daar de baas van waren. Ze hadden het altijd druk, maar gelukkig viel er veel te beleven.

Achter het hotel was een zaaltje met een toneel. Daar voerden we samen met de kinderen uit de buurt toneelstukken op. Meestal werd het een puinhoop omdat we maar wat deden. Op een dag besloot ik alles op te schrijven en eindelijk ging het goed met onze toneelstukken. Iedereen deed ineens precies wat ik had opgeschreven én ik ontdekte dat ik schrijven heerlijk vond.

We speelden in dat zaaltje trouwens ook vaak 'schooltje'. In iedere hoek van de zaal was een klas en ik speelde voor directeur.

Ik wilde later dan ook toneelspeler, schrijver of meester worden.

Mijn moeder zei: 'Word maar onderwijzer.' In die tijd deed je wat je moeder zei en ik werd meester en een tijdje later zelfs directeur van een basisschool. Ik vond het hartstikke leuk werk en mijn hoofd kwam vol verhalen. Daarom begon ik boeken te schrijven over school.

Een paar jaar geleden besloot ik te stoppen met school. Daar heb ik wel lang over na moeten denken, want ik stond nog steeds met plezier voor de klas. Maar het leek me ook heerlijk om meer tijd te krijgen voor het maken van boeken.

Natuurlijk ging ik door met het schrijven van schoolverhalen, maar dat hotel zat ook nog steeds in mijn hoofd.

Zo ontstond het idee voor De bende van De Korenwolf.

Als ik een boek schrijf, hussel ik fantasie en werkelijkheid altijd door elkaar.

Ik woon nu in Zuid-Limburg, dus daarom staat De Korenwolf daar ook. Het is genoemd naar de wilde hamster die in Limburg voorkomt.

De kinderen lijken veel op mijn eigen kinderen, maar ook op de vriendjes en vriendinnetjes met wie ik toneelstukken opvoerde in het zaaltje bij mijn ouders.

En net als met de schoolverhalen, zitten er ook nog heel veel hotelverhalen in mijn hoofd…

Jacques Vriens